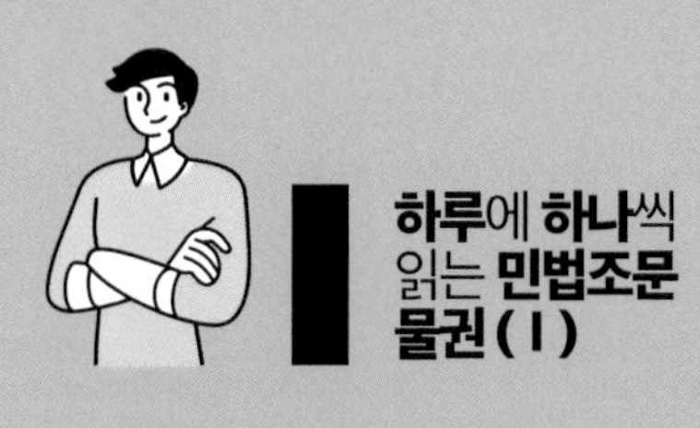
하루에 하나씩
읽는 민법조문
물권(I)

하루에 하나씩 읽는 민법조문 물권(Ⅰ)

초판 _ 2024년 3월 2일
지은이 _ 김민석
디자인 _ **enbergen3@gmail.com**

펴낸이 _ 한건희
펴낸곳 _ 부크크
출판등록 _ 2014.07.15.(제2014-16호)
주소 _ 서울특별시 금천구 가산디지털1로 119 SK트윈타워 A동 305호
전화 _ 1670-8316
이메일 _ **info@bookk.co.kr**
홈페이지 _ **www.bookk.co.kr**
ISBN _ 979-11-410-7377-0

값은 표지에 있습니다.

하루에 하나씩 읽는 민법조문 물권(I)

Contents

머리말 6

제1장, 총칙 8

제185조(물권의 종류) 10
제186조(부동산물권변동의 효력) 12
제187조(등기를 요하지 아니하는 부동산물권취득) 18
제188조(동산물권양도의 효력, 간이인도) 29
제189조(점유개정) 35
제190조(목적물반환청구권의 양도) 39
제191조(혼동으로 인한 물권의 소멸) 42

제2장, 점유권 48

제192조(점유권의 취득과 소멸) 50
제193조(상속으로 인한 점유권의 이전) 55
제194조(간접점유) 56
제195조(점유보조자) 67
제196조(점유권의 양도) 72
제197조(점유의 태양) 73
제198조(점유계속의 추정) 83
제199조(점유의 승계의 주장과 그 효과) 86
제200조(권리의 적법의 추정) 91

제201조(점유자와 과실) 95
제202조(점유자의 회복자에 대한 책임) 111
제203조(점유자의 상환청구권) 117
제204조(점유의 회수) 127
제205조(점유의 보유) 137
제206조(점유의 보전) 141
제207조(간접점유의 보호) 144
제208조(점유의 소와 본권의 소와의 관계) 148
제209조(자력구제) 152
제210조(준점유) 159

제3장, 소유권 166
제1절, 소유권의 한계 167
제211조(소유권의 내용) 168
제212조(토지소유권의 범위) 170
제213조(소유물반환청구권) 174
제214조(소유물방해제거, 방해예방청구권) 178
제215조(건물의 구분소유) 183

Intro

머리말

청룡의 해가 밝았습니다.
지난해 「하루에 하나씩 읽는 민법조문」 민법총칙 편의 개정판을 작업한데 이어 올해 물권편도 개정판을 내게 되었습니다.
이번 개정판에서는 그간 아쉬웠던 부분들을 보강하고자 신경썼습니다. 먼저 가독성을 높이기 위해 원고를 대폭 편집했습니다. 디자인도 보다 깔끔하게 변경하였습니다. 불필요하다고 생각되는 설명은 삭제하였습니다. 반면 설명이 필요는 하지만, 본서의 기준으로 보았을 때 다소 복잡한 내용에 관해서는 별도로 〈심화학습〉 코너를 두어 다루었습니다. 무엇보다 독자들에게 오해를 불러일으킬 수 있었던 애매한 표현과 부적절한 설명을 여럿 수정하였습니다. 이 과정에서 책의 분량은 약간 증가하게 되었습니다만, 이전 원고보다 조금이라도 나아진 부분이 있다면 이것은 독자들이 양해하여 주지 않을까 하는 기대를 걸어 봅니다.
책이 나오기까지 우여곡절이 있었습니다. 많은 분들의 지원과 애정이 없었다면 이 작업은 끝내기 어려웠을 것입니다. 무엇보다 항상 곁에서 응원을 아끼지 않았던 아내와 가족에게 감사한 마음뿐입니다.
이 책이 누군가에게 좋은 기억으로 남기를 기원하며 말을 맺습니다.

2024년 2월 김민석 올림.

"하루에 하나씩 읽는
민법조문 물권편,
시작합니다."

Part 1.

제1장, 총칙

제185조(물권의 종류)

물권은 법률 또는 관습법에 의하는 외에는 임의로 창설하지 못한다.

오늘부터는 드디어 물권편에 들어갑니다. 전에 간단하게 설명한 적이 있었는데, '물권'이란 사람의 물건에 대한 권리를 말합니다. 어려운 표현으로는 물건에 대한 배타적 지배권이라고 하기도 합니다. 우리는 과거에 '물건'의 개념에 대해서 [민법총칙]에서 공부한 적이 있었습니다.

제98조(물건의 정의) 본법에서 물건이라 함은 유체물 및 전기 기타 관리할 수 있는 자연력을 말한다.

기억나시지요? 물권편의 시작을 여는 제185조는, 이러한 물권은 법률이나 관습법 외에는 마음대로 만들 수 없다고 말하고 있습니다. 예를 들어 물권의 대표적인 예인 '소유권'을 들어 보면, 소유권의 내용에 대해서는 민법에서 구체적으로 정하고 있습니다. 정당하게 '물권'으로 민법에 의하여 인정받고 있는 것이지요.

우리 민법은 점유권, 소유권, 지상권, 지역권, 전세권, 유치권, 질권, 저당권의 8가지 물권을 구체적으로 정하고 있습니다. 철수가 이 8가지 이외에 혼자서 '철수권'이라는 물권을 창시한다고 해도, 법률과 관습법에 의하여 정해지지 않는 한 그것은 아무런 의미가 없습니다. 뇌내망상인 것이지요.

제185조에서 법률 외에 '관습법'도 물권을 창설할 수 있다고 하는데, 이처럼 법률이 아니라 '관습법'에 따라 인정받는 물권도 있습니다. 분묘기지권이 대표적인 예입니다. (상법이나 여러 특별법에서도 물권을 정하고 있지만, 우리는 일단 [민법]을 공부하고 있으므로, 오늘은 '민법'과 '관습법' 정도만을 언급하도록 하겠습니다) 이 권리는 나름대로 어려운 내용이고, 지상권 부분에 대해서 이해가 필요하므로 해당 파트에서 공부하도록 하겠습니다.

제185조에서 말하는 것과 같이 물권을 법률(또는 관습법)에 의하여만 창설할 수 있도록 한 것을 물권 법정주의라고 부릅니다. 기억해 두세요.

오늘은 물권편의 시작을 간단하게 맛보았습니다. 내일부터는 본격적으로 물권 총칙을 공부하도록 하겠습니다.

제186조(부동산물권변동의 효력)

부동산에 관한 법률행위로 인한 물권의 득실변경은 등기하여야 그 효력이 생긴다.

오늘은 좀 공부할 내용이 많고 어렵습니다. 긴장하고 시작하겠습니다.

자, 제186조는 대체 무슨 말일까요? '물권'이나 '법률행위'는 그나마 공부했으니까 알겠는데, '득실변경'은 등기하여야 효력이 생긴다는 것은 무슨 말인지…

차근차근 알아봅시다. '물권의 득실변경'이란 무슨 뜻일까요? 이는 물권의 변동을 말합니다. 물권이라는 것이 영원히 그대로 그냥 있는 것은 아닙니다. 소유권을 생각해 보세요. 물건의 소유권이란, 그 주인이 바뀔 수도 있지 않겠습니까? A주택의 소유권은 철수에게서 영희로 이전될 수도 있는 것이지요. 이처럼 물권이 발생하고, 변경되며, 소멸하기도 하는 현상을 통틀어서 물권의 변동이라고 부르는 것입니다.

제186조는 이러한 물권의 변동이 일어났을 때, 특히 그것이 부동산에 관한 법률행위로 인하여 일어났을 때에는 그 내용을 [등기]하여야 효력이 발생한다고 봅니다. 우리는 전에 등기에 대해서 [총칙]에서 공부한 적이 있었습니다. 기억이 잘 안 나시는 분들은 민법 제

33조에 관한 파트에서 등기에 관한 간단한 설명을 해두었으니 복습하고 오셔도 좋겠습니다.

예를 들어보겠습니다. 철수는 A주택을 소유하고 있습니다. A주택의 부동산 등기에는 소유자가 철수로 기재되어 있습니다. 그런데 철수는 급히 돈이 필요해져, A주택을 2억원에 영희에게 팔아넘겼습니다. 이는 A주택에 대한 매매 계약(법률행위)이므로, 제186조에서 말하는 '부동산에 관한 법률행위'에 해당합니다.

영희는 철수에게 2억원을 건네주고 A주택으로 이사를 들어왔습니다. 그러나 새 집이 생긴 것에 너무 신이 난 나머지 '등기'에 소유자가 변경되었다는 것을 기재하지 않고 살아 버렸습니다.

이 경우 제186조에 따르면 영희는 A주택에서 살고 있는 것과는 상관없이 A주택의 소유권을 취득할 수 없습니다. 물권 변동의 효력이 발생하지 않았기 때문이지요. 등기부에 따르면 여전히 A주택의 소유자는 철수입니다.

이와 같이 등기를 하여야만 모든 사람에 대하여 "이 부동산에 대한 법률행위에 따른 물권 변동은 유효하다!"라고 주장할 수 있는 것을 성립요건주의라고 부릅니다. 성립요건으로서 등기를 하지 아니하면, 물권 변동은 효력이 발생하지 않는다는 뜻입니다.

"아무리 그래도 영희가 2억 원을 냈는데, 너무하지 않습니까?"

너무하다고 생각할 수도 있습니다. 그러나 우리 민법이 이런 규정을 두고 있는 것은, 다음과 같은 논리 때문입니다. 지루하겠지만 어쩔 수 없이 짚고 넘어가야 할 이론적 배경을 알아보도록 합시다.

물권 변동에 있어서 중요한 것은 '거래의 안전'을 확보하는 것입니다. 예를 들어, 철수가 영희에게 자신의 부동산을 팔았다는 사실은 제3자 입장에서는 잘 모르는 내용입니다. 철수가 자기가 부동산 매매를 하는 모습을 인터넷으로 생중계하는 것도 아니니까요.

그런데 누가 소유자인지 명확히 모르는 부동산을 거래하다 보면 큰 문제가 생길 수 있습니다. 어떤 사람이 부동산을 살 때 철수의 부동산인 줄 알고 철수에게 돈을 주었는데, 알고 보니 영희가 진짜 그 부동산 소유자였다, 이렇게 되어 버리면 어떻게 되겠습니까? 이런 일이 자주 벌어지게 되면 부동산 시장은 완전히 혼란해지게 되겠지요.

이와 같은 문제를 막고, 물권 변동에서의 거래 안전을 확보하기 위해 세계 각국은 주로 2가지의 원칙을 천명하고 있는데, 하나는 공시(公示)의 원칙이고, 하나는 공신(公信)의 원칙입니다.

공시의 원칙이란, 물권의 변동은 누구나 이를 인식할 수 있도록 공시방법을 수반하여야 한다는 원칙입니다. 법률행위에 따른 부동산의 물권 변동이 있으면, 이를 부동산 등기에 기재하여야 하며 이 등기는 누구나 볼 수 있습니다. 따라서 우리 법제는 부동산 물권에

공시의 원칙을 인정하고 있습니다. 오늘 공부하고 있는 민법 제186조도 이를 담고 있다고 하겠습니다.

공신의 원칙이란, 공시방법을 신뢰한 제3자를 보호하기 위하여 설령 공시방법이 진실한 권리관계와 다른 경우에도 공시된 대로 권리관계를 인정해 주어야 한다는 원칙입니다.

예를 들어 나부자가 영희로부터 부동산을 10억 원에 하나 매입했다고 합시다. 등기부상 그 부동산의 소유주는 원래 영희였습니다. 나부자는 안심하고 거래를 한 것이지요. 그런데 사실, 영희가 위조된 서류를 이용해서 그 부동산의 소유권 등기를 자기 앞으로 한 것이고, 실제 그 부동산의 진짜 소유자는 바로 철수였다고 합시다.

이 경우 나부자는 어떻게 될까요? 만약 '공신의 원칙을 인정'하는 경우라면, 공시방법(등기)이 진실한 권리관계(실제 소유자는 철수)와 다른 상태(등기부상의 소유자는 영희)이므로, 제3자(나부자)를 보호하기 위하여 등기부에 적힌 대로 권리관계를 인정해 주게 되어 나부자는 유효하게 부동산을 취득할 수 있게 됩니다.

반면, 공신의 원칙을 '불인정'하는 경우라면, 진실한 권리자(철수)로부터 부동산을 매입한 것이 아니기 때문에 나부자는 유효하게 부동산을 취득할 수 없게 됩니다. 따라서 나부자는 추후 영희를 고소하건 어쩌건 일단 지금은 부동산을 취득하지 못하는 것이지요.

결론적으로 말씀드리자면 우리나라의 법제는 부동산물권에서 공신의 원칙을 불인정하고 있습니다. 따라서 우리나라의 경우 위의 사례에서 나부자는 부동산 소유권을 취득하지 못하게 됩니다.

공시의 원칙과 공신의 원칙을 비교해 보면, 공신의 원칙이 좀 더 강하게 '제3자'와 거래의 안전을 보호하기 위한 장치라는 것을 알 수 있습니다. 이 2개의 원칙 중 1개만을 인정하느냐, 2개 모두를 인정하느냐는 입법정책적인 문제라고 할 수 있으며, 세계 각국의 예를 비교해 보면 어떤 나라는 2개 모두를 인정하는 나라도 있습니다.

다만 우리나라의 경우는 부동산물권에서 공시의 원칙만을 인정하고, 공신의 원칙은 인정하지 않고 있는데, 반드시 기억해 두시기 바랍니다.

혹시 기억하실지 모르겠지만, 우리는 전에 제186조를 잠깐 본 적이 있었습니다. 바로 재단법인의 출연재산 귀속에 관한 문제인데요, [총칙] 편에서 제48조를 복습하고 오셔도 좋겠습니다. 과거 우리가 보았던 제48조가 어떻게 제186조와의 관계 속에서 해석되는지, 이제는 좀 더 쉽게 이해하실 수 있을 것입니다.

제48조(출연재산의 귀속시기) ①생전처분으로 재단법인을 설립하는 때에는 출연재산은 법인이 성립된 때로부터 법인의 재산이 된다.
②유언으로 재단법인을 설립하는 때에는 출연재산은 유언의 효력이

발생한 때로부터 법인에 귀속한 것으로 본다.

오늘은 제186조를 공부하였습니다. 내용도 많고 어렵기도 한데, 오늘 공부한 내용은 어디까지나 "법률행위로 인한 부동산의 물권 변동"에 적용되는 것이라는 점을 다시 한번 명심하시기 바랍니다. 법률행위가 아닌 경우나 동산의 물권 변동의 경우 다른 법리가 적용되기 때문에, 명확히 구별해 두셔야 합니다.

내일은 법률행위가 아닌 경우의 부동산 물권 변동에 대해 공부하겠습니다.

제187조(등기를 요하지 아니하는 부동산물권취득)

상속, 공용징수, 판결, 경매 기타 법률의 규정에 의한 부동산에 관한 물권의 취득은 등기를 요하지 아니한다. 그러나 등기를 하지 아니하면 이를 처분하지 못한다.

어제 우리가 공부한 것과 비교하면서 보면 좋습니다. 어제 공부한 것은 '법률행위에 의한' 부동산 물권 변동에 관한 것이었습니다. 오늘 공부할 것은 '법률행위가 아닌 경우'에 부동산 물권 변동에 관한 것입니다.

*사실 어제와 같은 논의에서 많은 법학 교과서에서는 '물권행위'의 개념과 물권행위의 독자성/무인성에 관한 학설의 내용을 함께 설명하고 있습니다. 그러나 그 내용은 여기서 다루기에는 지나치게 복잡한 측면이 있기 때문에, 일단 지금은 넘어가도록 하겠습니다.

제187조에 따르면, 법률행위가 아님에도 불구하고 부동산 물권이 바뀔 수 있는 경우로 상속, 공용징수, 판결, 경매를 예시로 들고 있으며, '기타 법률의 규정'이라고도 하여 그 외에도 몇 가지 더 있을 수 있음을 말하고 있습니다.

전에 법률행위와 법률행위가 아닌 것에 대해서는 엄격히 구별할 필요가 있다고 했었는데요, 법률행위는 의사표시를 요소로 하는 법률요건이라고 했습니다. 혹시 기억이 잘 안 나시는 분들은 민법 제

4조에서 법률행위에 대해 공부한 내용이 있으니 그 부분을 복습하고 오셔도 좋겠습니다.

제187조는 이처럼 법률의 규정에 따른 부동산 물권의 취득은 '등기를 요하지 아니한다'라고 말합니다. '취득'이라고 하고 있는데, 표현상으로는 취득만을 의미하는 것 같지만 학설은 해석상 취득하는 것만을 따지지 않고 물권의 소멸이나 변경에도 제187조가 적용되는 것으로 봅니다. (추후 민법이 개정되면 표현을 명확히 하는 것도 좋아 보입니다.)

즉, 제187조에 의한 부동산 물권 변동에 대해서는 딱히 등기를 하지 않더라도 효력이 발생하게 됩니다. 제186조와는 매우 중요한 차이점이 있으므로 꼭 기억해 두시기 바랍니다.

자, 그럼 왜 이런 조문을 두었는지는 뒤에서 설명하기로 하고, 제187조 본문의 내용을 하나씩 들여다봅시다.

먼저 상속입니다. 상속은 [총칙]에서 공부했던 바와 같이, 법률행위가 아닙니다. 그러나 철수가 죽어서 그의 아들이 철수의 재산을 상속받게 되면, 부동산의 물권 변동은 분명히 일어납니다.

예전에는 부동산의 소유자가 철수였지만, 이제는 철수의 아들이 소유자가 되는 것이니까요. 법률행위가 아닌데도 부동산 물권 변동이 일어나는 것입니다. 따라서 상속을 받아 부동산 물권이 변동되는 경우에는 제187조에 따라 등기를 하지 않더라도 그 효력이 발생하게 됩니다.

아버지에게 이 부동산을 상속 받으려면 등기해야만 하나?

민법 제187조에 따라 등기를 하지 않아도
부동산의 소유자가 될 수 있습니다. 다만,
부동산을 처분하려면 등기하셔야 합니다.

공용징수란 국가나 지자체 등이 공익사업을 실시할 때 필요한 경우 개인의 재산권을 강제로 가져가는 것을 말합니다.

“와, 국가가 개인의 재산을 빼앗아 가는 건가요?”라고 분노하실 수도 있겠지만, 날강도 마냥 막 가져가는 것은 아니고 법률에 따라 보상을 해주고 가져갑니다.

그리고 아무때나 국가가 빼앗는 것이 아니고 엄격한 요건도 충족하여야 합니다. 공용징수에 대해 상세한 설명은 행정법 교과서 등을 참고하시면 되겠습니다. 이러한 공용징수의 경우, 국가 등은 등기를 별도로 하지 않아도 부동산의 소유권을 취득할 수 있게 됩니다.

'판결'의 경우는 이미 아시겠지만 재판의 결과로 나오는 것입니다. 다만, 조심할 것은 제187조에서 말하는 판결은 모든 판결을 말하는 것이 아니라 형성판결만을 의미한다는 점입니다. 도대체 형성판결이 뭘까요?

판결(특히 본안판결을 말합니다만, 여기서는 일단 그 부분에 대한 설명은 생략하고 진행하도록 하겠습니다)은 크게 3가지 종류로 나누어 볼 수 있습니다. 이행판결, 확인판결, 형성판결이 그것입니다.

설명이 길어질 수밖에 없지만, 판결의 종류를 알아보기 전에 먼저 민사 판결문이 도대체 어떻게 작성되는가, 그 양식에 대해서 알아보도록 합시다.

요즘은 판사가 판결문을 작성할 때 별도의 시스템에 접속해서 쓰게 됩니다. 보통 사건명이나 당사자 표시 같은 것은 알아서 시스템에서 해주므로, 판사가 특히 열심히 작성하는 부분은 [주문], [청구취지], [이유] 정도가 되겠네요.

판결문에서 '주문'이란 마법을 쓸 때 외치는 주문이 아니라, 주문(主文)이라는 뜻으로, 직역하자면 주된 문장을 뜻하며, 실제로는 판결의 결론에 해당하는 부분을 말합니다.

예를 들어 "원고의 청구를 기각한다"와 같은 문장이 바로 주문입니다. 판사가 생각을 해보았는데, 생각해보니 결론은 원고의 청구가 말이 안된다, 이런 식으로 쓰는 겁니다.

판결문의 '청구취지'란 재판으로 원고가 얻고자 하는 것이 무엇인지를 적는 것입니다. 예를 들어 철수가 영희에게 빌려주고 못 받고 있는 돈을 소송을 통해 받아 내고자 한다면, 그 재판의 청구취지는 "피고는 원고에게 5,000만 원을 지급하라."가 될 것입니다. 보통 청구취지는 소장에 적혀 있는데, 판결문에도 청구취지를 적습니다.

판결문의 '이유'란 예상하다시피 앞서 말한 〈주문〉(결론)이 어떻게 도출되었는지 그 이유를 설명하는 부분입니다. 원고의 청구를 기각한다는 결론이 도출되었다면, 왜 그런 결론이 도출되었는지에 관한 판사의 논리가 있겠지요. '이유' 부분을 읽음으로써 이를 알 수 있습니다.

그러면 이러한 사전 지식을 가지고, 이제 다시 판결의 3유형에 대해 알아봅시다. 먼저 이행판결이란, 원고의 주장대로 피고에게 일정한 행위를 이행하도록 명령하는 판결입니다. 대표적으로 위에서 말한 "피고는 원고에게 5,000만 원을 지급하라."라는 청구취지가 바로 이행판결의 판결문에 등장하는 예시라고 하겠습니다.

이행판결의 경우 그 판결에 따른 '이행'이 별도로 이루어져야 비로소 권리관계가 변동되게 됩니다. 이 부분이 가장 중요합니다.

예를 들어 방금 말한 이행판결이 있다고 하더라도, 피고의 계좌에

서 자동으로 5,000만 원이 빠져나가 원고의 계좌에 입금되지는 않는 것입니다. 또는 소유권이전등기를 해주라는 내용의 판결을 재판을 통해 얻어냈다고 하더라도, 이는 이행판결이므로 실제로 소유권이전등기가 '이행'되기 전까지는 부동산의 소유자가 바뀌지 않습니다. (소유권이전등기 이행판결의 경우 승소한 사람이 '부동산 등기법'에 따라 단독으로 등기를 신청할 수 있기는 합니다. 참고로만 알아 두세요.)

다음으로 확인판결이란, 어떠한 사실을 법원이 확인하는 의미의 판결입니다. 대표적으로 원고의 청구를 법원이 '기각'하는 판결의 경우, 원고의 주장이 옳지 않다는 것을 법원이 확인하는 의미가 있으므로 확인판결에 해당합니다. 이러한 확인판결이 나오는 소송의 경우 청구취지가 보통 "원고와 피고 사이에, ~라는 사실을 확인한다."라고 적히게 됩니다.

다음으로 형성판결이란, 판결 그 자체만으로 법률관계를 변동시키는 판결을 말합니다. 예를 들어 이혼 소송에서 판결이 나오는 경우, 그 판결에 따라 바로 이혼의 효과가 발생하게 됩니다.

아내가 이혼 소송에서 이겼다고 해서 남편이 이혼을 '이행'하여야 이혼이 실제로 이루어진다는 것은 말이 되지 않지요. 이 경우 청구취지는 "원고와 피고는 이혼한다."가 될 것입니다.

설명이 길어졌지만, 어쨌건 제187조에서 말하는 '판결'은 형성판결을 의미합니다. 논리상 생각해 보면, 이행판결과 확인판결은 제187조에서 말하는 판결에 해당되기 어렵다는 것을 알 수 있습니다.

이행판결은 애초에 '이행'이 있어야 권리관계의 변동이 발생한다는 개념인데, 제187조의 적용을 받는다고 하면 등기 없이도 효력을 발생하게 되기 때문입니다. 그러면 부동산 소유권이전등기의 이행판결을 받은 사람(승소한 사람)은 굳이 등기 절차를 밟을 이유가 없겠지요. 어차피 등기 없이도 소유권이 이전된다는데, 괜히 등록세 더 내게요?

마찬가지로 확인판결 역시 권리 또는 법률관계의 존부를 확인하는 것에 불과하므로, 제187조를 적용하기가 어렵습니다.

판례 역시 "민법 제187조에 소위 판결이라고 함은 판결자체에 의하여 부동산 물권취득의 형성적 효력이 생하는 경우를 말하는 것이고 당사자 사이에 이루어진 어떠한 법률행위를 원인으로 하여 부동산소유권이전등기절차의 이행을 명하는 것과 같은 내용의 판결은 이에 포함되지 않는다고 할 것"이라고 하여(대법원 1970. 6. 30. 선고 70다568 판결) 같은 입장입니다.

다음으로 제187조에 적힌 '경매'를 알아봅시다. 흔히 경매라고 하면, 영화나 드라마 같은 곳에서 나오는 장면을 떠올립니다. 피카소

의 그림 같은 비싼 물건을 가져다 놓고, 수십 명의 사람이 모여서 서로 "나는 10억원!", "10억원 나왔습니다. 더 없으십니까?", "여기 11억원 부르겠습니다" 이런 식으로 가격을 다투는 것을 상상합니다.

사실 그런 상상과 완전히 다른 것은 아닙니다. 다만 지금 민법 제187조에서 말하는 경매란 〈소더비〉나 〈크리스티〉와 같은 영화에 나오는 그런 경매가 아니라, 국가기관이 주체가 되는 경매로서 '임의경매' 또는 '강제경매'를 의미하는 것입니다.

양자에 대해서는 추후에 상세히 설명할 기회가 있으므로, 여기서는 법원에서 실시하는 경매를 거쳐 부동산을 사들이게 된 사람은 그 매각대금을 모두 납부함으로써 바로 소유권을 취득하도록 정하고 있다는 사실을 알고 지나가는 것으로 만족하도록 하겠습니다. 따라서 등기 없이도 소유권을 얻게 됩니다.

민사집행법
제135조(소유권의 취득시기) 매수인은 매각대금을 다 낸 때에 매각의 목적인 권리를 취득한다.
제268조(준용규정) 부동산을 목적으로 하는 담보권 실행을 위한 경매절차에는 제79조 내지 제162조의 규정을 준용한다.

그런데 지금까지의 논의 내용을 보다 보면, 궁금한 부분이 생깁니다. 도대체 제187조와 같은 규정은 왜 필요한 걸까요? 모든 부동산 물권의 변동에 그냥 등기를 하라고 해버리면 안 되는 걸까요?

그 이유에 대해서 여러 가지 학설의 논의가 있습니다만, 대체로 다음과 같은 논거를 듭니다. 예를 들어 위에서 말씀드린 공용징수나 경매, 판결 등의 경우, 국가기관이 실시하는 행위라서 등기가 없더라도 적법 절차나 거래의 안전을 보장하기가 쉽습니다.

이웃사촌인 철수와 영희 간에 부동산 거래를 하는 것은 솔직히 언제 어디서 몰래 했는지 알 수가 없지만, 공용징수나 경매는 그 절차도 공개되는 등 누구나 쉽게 알 수 있는 행위라고 하겠습니다. 공시제도가 왜 존재하는지를 생각해 보면, 좀 더 쉽게 이해가 가실 겁니다.

또한, 상속의 경우에는 누군가가 죽음으로써 실시되는 것인데, 누군가 죽자마자 등기하는 것은 쉽지 않은 일이고(현실적으로 쉽지 않을뿐더러, 상속인이 누구인지 확정되지 않는 경우도 있으므로 논리적으로도 어려운 경우가 있습니다), 그렇다고 등기하지 않은 재산이라고 하여 주인이 없는 것으로 내버려 둘 수도 없는 상태이므로 등기가 없더라도 일단 물권 변동의 효과가 있도록 하고 있는 것입니다.

자, 그럼 이제 마지막으로 제187조 단서를 봅시다. 제187조 단서는, "등기하지 아니하면 이를 처분하지 못한다."라고 하고 있습니다.

이건 무슨 말일까요?

일단 제187조 본문에서는 상속 등의 경우에는 등기를 안 해도 부동산 물권 변동이 가능하도록 정해 두고 있습니다만, 그렇다고 해서 등기가 안 된 부동산을 시장에 마구 유통하게 내버려 두는 것이 괜찮은 걸까요?

처음 상속받을 때에는 그렇다고 쳐도, 상속받은 부동산을 다시 누군가에게 팔 수도 있는 건데, 등기가 제대로 안 된 부동산이 철수에게서 영희로, 영희에게서 민수로... 계속 주인이 바뀌어 나간다면 큰 문제가 생길 수 있는 겁니다.

따라서 제187조 단서에서는 일단 등기 없이 부동산 물권을 취득하더라도, 그 부동산을 다른 사람에게 파는 등 처분할 때에는 최소한 등기를 하여야 한다고 정하고 있는 것입니다. 즉, 상속을 받은 사람이 물려 받은 부동산을 등기하지 않고 옆집 사람에게 팔아 버릴 경우, 옆집 사람은 그 부동산을 유효하게 취득하지 못합니다.

어제에 이어 오늘도 상당히 길고 복잡한 내용을 다루었습니다. 단순하게 설명하려고 노력하였지만, 아무래도 모든 것을 생략하고 넘어가기에는 곤란하고, 그렇다고 상세하게 모두 다루기에는 어려운 부분이 많아 이 정도로 타협하여야 할 듯합니다.

물권법의 기초적인 부분부터 하나씩 공부하여야 하다 보니 초반부에는 어쩔 수 없이 좀 적응하기 까다로운 부분이 있을 수도 있습니다. 다소 긴 내용이 앞으로도 이어지겠지만 힘내시기 바랍니다.

내일은 동산물권의 양도에 대해서 공부하도록 하겠습니다.

제188조(동산물권양도의 효력, 간이인도)

①동산에 관한 물권의 양도는 그 동산을 인도하여야 효력이 생긴다.
②양수인이 이미 그 동산을 점유한 때에는 당사자의 의사표시만으로 그 효력이 생긴다.

우리는 제186조와 제187조에서 '부동산' 물권 변동과 그 공시에 대해서 공부하였습니다. 부동산에는 〈부동산 등기〉라는 것이 있어 굉장히 중요한 역할을 한다고 말씀드렸던 바 있습니다. 오늘 공부할 내용은 '동산'의 물권 변동에 관한 것입니다.

볼펜이라는 '동산'이 있으면 그 소유자는 철수가 되었다가, 철수가 영희에게 파는 등 여러 행위를 통하여 바뀔 수도 있습니다. 즉 동산 역시 부동산과 마찬가지로 물권 변동을 겪게 되는데요, 부동산과 유사하게 동산에서도 '법률행위'에 따른 물권 변동과 '법률의 규정'에 따른 물권 변동으로 나누어 생각해 볼 수 있습니다. 그리고 오늘 우리가 공부할 제188조는 바로 법률행위에 따른 동산의 물권 변동에 관한 규정입니다.

제188조에는 법률행위라는 말이 없는데 무슨 소리냐고요? 법률행위라는 말은 없지만, 제188조제1항에서는 '물권의 양도'라고 표현하고 있습니다. 양도(讓渡)란 법률행위를 통하여 다른 사람에게 권리를 넘겨주는 것을 뜻합니다. 흔히 어떤 분들은 '양도'의 '양'을

'사양할 양'으로 해석하여, 아무런 대가도 받지 않고 무언가를 공짜로 주는 것으로 오해하시는 분들도 있는데, 법학에서는 양도를 '공짜'라는 의미를 당연히 포함하고 있는 것으로는 해석하지 않습니다. 일단 '양'의 글자는 '사양하다'라는 의미도 있지만 '넘겨주다'라는 의미도 있고요, 공짜로 넘겨주는 것은 '증여'라고 해서 다른 표현을 씁니다. 어쨌건 양도의 의미를 이해하면, 제188조가 왜 법률행위에 따른 물권 변동을 의미하고 있는지 알 수 있습니다.

본격적으로 제188조를 공부하기 전에, 앞서 알아보았던 '공시의 원칙'과 '공신의 원칙'을 다시 한번 떠올려 봅시다. 기억이 잘 안 나시는 분들은 제186조를 복습하고 오셔도 좋겠습니다. 그때 말하기를, 〈부동산〉의 경우에는 '공시의 원칙'은 인정하되 '공신의 원칙'은 인정하지 않고 있는 것이 우리 법제의 태도라고 했습니다.

그러나 오늘부터 알아볼 〈동산〉의 경우에는 부동산과 달리 우리 법제가 '공시의 원칙'과 '공신의 원칙'을 모두 인정하고 있습니다. 일단 '공신'의 원칙이 어떻게 인정되고 있는지는 추후에 나올 예정이므로 오늘은 생략하기로 하고, '공시'의 원칙이 어떻게 인정되고 있는지를 봅시다.

제188조제1항에 따르면, 동산에 관한 물권의 양도에서 우리 민법은 '인도'를 공시방법으로 천명함으로써 공시의 원칙을 인정하고 있습니다. 인도(引渡)란, '끌 인'에 '건널 도'의 글자를 씁니다. 끌어다 넘겨준다는 것입니다.

예를 들어 보겠습니다. 철수는 영희에게 자신이 가진 볼펜을 1만 원에 팔기로 계약을 합니다. 두 사람 간의 계약은 유효하게 체결되었지만, 제188조제1항에 따르면 아직 영희는 볼펜의 소유권을 완전히 취득한 것이 아닙니다. 왜냐하면 철수가 아직 영희에게 볼펜을 '인도'하지 않았기 때문입니다. 따라서 영희는 철수에게서 볼펜을 직접 넘겨 받음으로써 완전히 볼펜의 소유권을 유효하게 취득할 수 있게 됩니다.

그런데 이러한 '인도'를 〈현실에서 직접 물건을 물리적으로 건네어 주는 행위〉로만 너무 깐깐하게 해석하면 좀 불편한 상황이 많이 생길 수 있습니다.

생각해 봅시다. 철수는 영희에게 1달 동안 볼펜을 빌려주고 있었고, 1달 동안의 볼펜 사용료로 2만 원을 받고 있었습니다(상당히 고급진 볼펜인가 봅니다).

한편, 영희가 볼펜을 쓰다 보니까 너무 마음에 드는 겁니다. 그래서 철수에게 전화를 걸어, "네 볼펜이 좋아 보이는 걸. 내가 계좌이체 해줄 테니까 이 볼펜을 나한테 팔지 않을래?" 이렇게 얘기합니다. 철수도 새 볼펜이 사고 싶어졌던 터라, 영희의 제안을 흔쾌히 받아들입니다.

문제는 이겁니다. 민법 제188조제1항에 따르면 '인도'라는 공시방법을 갖추어야 동산 물권의 양도는 효력이 생깁니다. 그러면 영희는 일단 볼펜을 책상에서 꺼내서, 차로 2시간 거리에 있는 철수네 집에 찾아가 철수에게 볼펜을 돌려주고, 철수가 다시 그 볼펜을 그 자리에서 영희에게 '인도'하여 주어야 하는 번거로움이 발생합니다. 정말 볼펜 하나 가지고 이렇게까지 해야 할까요?

그래서 우리 민법은 이러한 문제점을 해소하기 위하여 제188조 제2항을 두고 있습니다. 이에 따르면, 양수인이 이미 그 동산을 점유하고 있는 때에는 당사자의 의사표시만으로도 효력이 생긴다고 합니다.

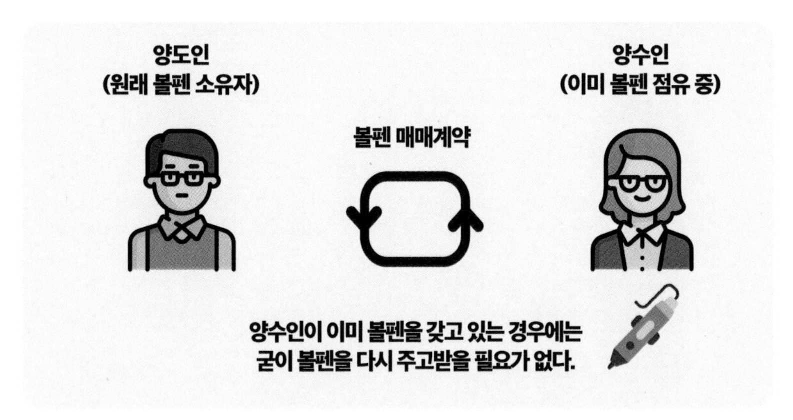

바로 위와 같은 경우에 양수인(영희)은 이미 동산(볼펜)을 점유하고 있기 때문에 당사자의 의사표시(철수와 영희 간의 볼펜 매매 계약 성립)만으로도 영희는 볼펜의 정당한 소유자가 될 수 있는 것입니다. 이와 같이 양수인이 이미 동산을 점유하고 있을 때 당사자의 의사표시만으로도 인도의 효력을 인정해 주는 것을 간이인도라고

합니다.

여기서 잠깐, '점유'라는 단어를 주목할 필요가 있습니다. 왜냐하면 이 단어가 민법에서 처음 등장하는 부분이 바로 제188조거든요. 향후 [점유권] 파트에서 상세히 다루겠지만, 오늘 간단하게만 보고 지나가도록 합시다.

점유란, 물건을 사실상 지배하고 있는 상태를 말합니다. 그리고 '점유권'이란 그러한 점유에 따라 부여되는 권리를 말합니다. 철수가 영희에게 볼펜을 빌려준 상태여서 영희가 볼펜을 사실상 지배하고 있는 상태라면, 볼펜의 '소유권'은 철수에게 있겠지만, 볼펜의 '점유권'은 실제로 볼펜을 지니고 사용하는 영희에게 있다고 볼 수 있는 것입니다.

우리의 판례는 "물건에 대한 점유란 사회관념상 어떤 사람의 사실적 지배에 있다고 보이는 객관적 관계를 말하는 것으로서, 사실상의 지배가 있다고 하기 위하여는 반드시 물건을 물리적·현실적으로 지배하는 것만을 의미하는 것이 아니고, 물건과 사람과의 시간적·공간적 관계와 본권관계, 타인 지배의 가능성 등을 고려하여 사회관념에 따라 합목적적으로 판단하여야" 한다고 말하고 있습니다(대법원 1997. 8. 22. 선고 97다2665 판결).

*제188조에서 말하는 '의사표시'에는 본권이전의 합의 외에도 점유권까지 양도하겠다는 합의가 있어야 한다는 견해도 있고, 단지 소유권이

전의 물권적 합의만 있어도 된다는 견해도 있습니다. 다만 이러한 논의는 지나치게 복잡한 측면이 있고, 아직 본권이나 점유권에 대해서 구체적으로 공부하지 않았으므로 여기서는 언급만 하고 넘어가는 것으로 하겠습니다.

오늘은 동산의 물권 양도에 따른 공시방법으로서 '인도'와 '간이인도'에 대하여 공부하였습니다. 내일은 점유개정에 대하여 알아보겠습니다.

제189조(점유개정)

동산에 관한 물권을 양도하는 경우에 당사자의 계약으로 양도인이 그 동산의 점유를 계속하는 때에는 양수인이 인도받은 것으로 본다.

와, 오늘은 단어부터 어렵습니다. '점유개정', 이건 무슨 말일까요? 우리는 어제 '인도'의 개념에 대해서 공부하면서, (1)현실의 인도와 (2)간이인도라는 2가지 인도 방식에 대하여 알아보았습니다. 현실의 인도는 비교적 이해하기 쉽고요, 간이인도 역시 크게 어려운 내용은 아니었습니다.

오늘 공부할 점유개정(占有改定)은 바로 세 번째 유형의 인도 방식입니다. 한자어를 먼저 풀어 보면, '점유'는 어제 공부한 내용이니까 아실 것이고, '고칠 개'와 '정할 정'의 한자를 사용합니다.

따라서 한자로만 직역하면, 이는 "점유를 고쳐 바꾸어 정한다"라는 뜻이 됩니다. 이 뜻이 과연 맞는지, 다음의 예시를 보면서 생각해 보시기 바랍니다.

철수는 자신이 가진 볼펜을 영희에게 팔기로 했습니다. 영희는 철수의 볼펜을 사면서 그에게 돈을 건네주었는데, 그와 동시에 철수가 이렇게 말합니다.

"죄송한데요, 제가 급전이 필요해서 지금 볼펜을 팔기는 하는데 사실 볼펜을 좀 더 쓰긴 해야 하는 사정이거든요. 그래서 말인데 볼펜을 제가 넘겨 드리기 전에 한 달만 빌려주시면 안 될까요?"

영희가 이에 동의하게 되면, 철수(양도인)는 자신이 가지고 있던 볼펜을 일단 집에서 가지고 와서 영희에게 넘겨주어 '인도'의 공시방법을 성립시키고, 볼펜의 소유권을 영희에게 이전하게 만든 후 다시 영희에게서 볼펜을 가져와서 한 달 동안 볼펜을 빌려 쓰면 되는 걸까요? 굳이 이렇게 불편하게 할 필요가 있을까요?

그래서 우리 민법 제189조는 당사자 간에 계약으로 '양도인'이 그 동산의 점유를 계속하는 것이 허용될 때에도 양수인에 대해 유효한 '인도'가 있었던 것으로 봐주겠다는 조문을 넣고 있는 것입니다.

따라서 철수는 굳이 볼펜을 집에서 가져와서 영희에게 주고 다시 볼펜을 받아가는 등의 복잡한 행동을 할 필요가 없으며, 볼펜은 여전히 철수가 가지고 있지만 영희는 동산(볼펜)의 물권(소유권)을 유효하게 이전받은 것이 됩니다. 이제 왜 '점유개정'이라는 표현을 사용하고 있는지 대강 이해가 가시지요?

좋습니다. 볼펜의 점유를 계속하도록 허락할게요.

양도인

볼펜 소유권 이전

양수인

볼펜을 팔자마자 죄송하지만
볼펜을 조금만 빌려 쓰면 안될까요?

이러한 점유개정은 어제 공부한 간이인도와는 다르니 구별할 필요가 있습니다. 간이인도는 '양수인'이 동산을 이미 점유하고 있는 경우이고, 점유개정은 합의에 의하여 '양도인'이 동산을 계속 점유하기로 하는 경우를 말합니다. 이 두 가지는 확실히 다릅니다.

*교과서에서는 이에 대하여 간이인도의 경우 양수인의 점유가 타주점유에서 자주점유로 바뀌고, 점유개정은 양도인의 점유가 자주점유에서 타주점유로 바뀌는 것이라고 설명하기도 하는데요(박동진, 2022), 자세한 내용은 나중에 자주점유를 살펴볼 때 쉽게 이해하실 수 있을 것입니다.

점유개정에 대하여 교과서에서는, "당사자의 계약으로 양도인이 직접점유를 하고 양도인의 점유를 매개로 양수인도 간접점유를 계속하는 형태의 인도"라고 정의하는데(박동진, 2022), 표현이 복잡하니 일단은 읽어만 보시면 되겠습니다. 점유매개관계니 간접점유니 하는 내용은 추후 점유권 파트에서 상세히 둘러볼 것입니다.

오늘은 점유개정에 대해 공부하였고, 내일은 또 다른 인도방법의 하나인 목적물반환청구권의 양도에 관하여 알아보도록 하겠습니다.

*참고문헌

박동진, 「물권법강의(제2판)」, 법문사, 2022, 107면.

제190조(목적물반환청구권의 양도)

제삼자가 점유하고 있는 동산에 관한 물권을 양도하는 경우에는 양도인이 그 제삼자에 대한 반환청구권을 양수인에게 양도함으로써 동산을 인도한 것으로 본다.

자, 오늘은 새로운 인도방법에 대해 공부하겠습니다. 지금까지 (1)현실의 인도, (2)간이인도, (3)점유개정에 대해 알아보았습니다. 오늘 공부할 것은 '목적물반환청구권'의 양도입니다.

목적물반환청구권이란 무엇일까요? 말 그대로 목적이 되는 물건을 '되돌려 달라고' 청구할 수 있는 권리를 말합니다. 이에 대하여 민법 제190조는, 제3자가 점유하고 있는 동산에 대해서 그 물권을 양도하는 경우에는 양도인이 그 '반환청구권'을 양수인에게 양도함으로써 동산을 인도한 것으로 본다고 합니다.

문장이 길고 어려우니 예를 들어 보겠습니다. 여기서 중요한 것은 간이인도나 점유개정과는 다르게 등장인물이 이제 3명이 된다는 겁니다. 철수는 자신이 소유한 볼펜을 영희에게 빌려주고 있는 상태입니다. 볼펜의 소유권자는 철수이며, 점유권자는 영희입니다.

그런데 철수는 급전이 필요해져 자신의 볼펜을 팔기로 하였고, 이웃집 나부자라는 사람이 그 볼펜을 사기로 하였습니다. 그러면 철수는 볼펜의 인도를 위하여 영희에게 찾아가 자신의 볼펜을 되찾아 온

후, 이를 나부자에게 넘겨주어야 할까요?

제190조에 따르면 그럴 필요 없다는 겁니다. 원래 철수는 영희에게 볼펜을 빌려주는 계약을 맺었고 그에 따라 영희가 볼펜을 사용하고 있는 것이므로, 계약에 따른 볼펜 반환청구권을 가지고 있다고 할 것입니다.

철수는 이러한 자신의 반환청구권을 나부자에게 양도함으로써 동산(볼펜) 물권의 변동을 일으킬 수 있는 것입니다. 따라서 철수는 굳이 영희에게서 볼펜을 찾아오는 수고로움을 겪지 않고서도 나부자에게 볼펜의 소유권을 취득시킬 수 있습니다.

*이러한 제190조의 '목적물반환청구권'은 물권적 청구권이 아니고 채권적 청구권이라는 것이 통설입니다(박동진, 2022). 채권적 청구권과 물권적 청구권에 대해서 여기서 모두 설명하기는 복잡하므로, 지금은 간단히 철수와 영희 간의 계약으로부터 발생한 청구권을 철수가 나부자에게 양도하는 것으로 이해하시면 되겠습니다. 이는 추후 지명채권 양도의 대항요건과도 관련이 되는 부분이기 때문에 자세히 다룰 기회가 있을 것입니다.

위의 사례를 대입하여 제190조를 다시 읽어 보면, 제3자(영희)가 점유하고 있는 동산(볼펜)에 관한 물권(소유권)을 양도하는 경우에는 양도인(철수)이 그 제3자(영희)에 대한 반환청구권을 양수인(나부자)에게 양도함으로써 동산(볼펜)을 인도한 것으로 본다는 겁니다. 사례와 조문을 대조하면서 천천히 읽어 보시면 이해가 쉬울 겁니다.

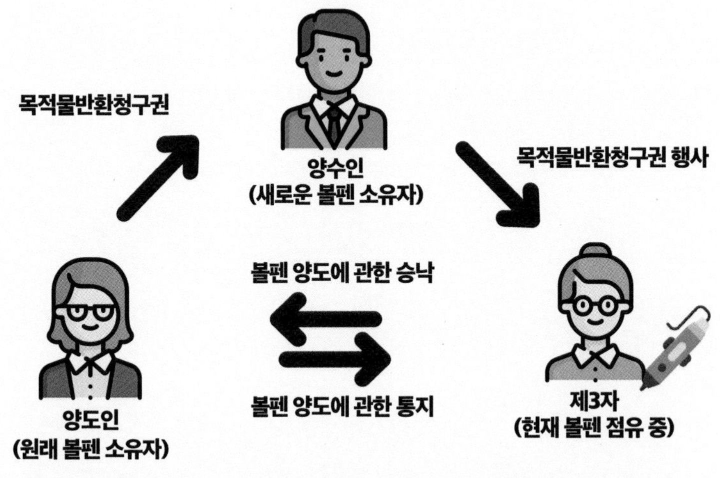

오늘은 목적물반환청구권의 양도에 대해 공부하였습니다. 내일은 혼동으로 인한 물권의 소멸에 대해 알아보겠습니다.

*참고문헌

박동진, 「물권법강의(제2판)」, 법문사, 2022, 109면.

제191조(혼동으로 인한 물권의 소멸)

①동일한 물건에 대한 소유권과 다른 물권이 동일한 사람에게 귀속한 때에는 다른 물권은 소멸한다. 그러나 그 물권이 제삼자의 권리의 목적이 된 때에는 소멸하지 아니한다.
②전항의 규정은 소유권이외의 물권과 그를 목적으로 하는 다른 권리가 동일한 사람에게 귀속한 경우에 준용한다.
③점유권에 관하여는 전2항의 규정을 적용하지 아니한다.

제191조는 물권에 관한 [총칙]의 마지막 조문입니다. 어제까지 우리는 물권을 부동산에 관한 것과 동산에 관한 것으로 나누어서 알아보았습니다만, 오늘 볼 제191조는 이를 나누고 있지 않습니다. 따라서 제191조는 부동산과 동산 모두에 적용되는 조문이라고 하겠습니다.

물권 역시 당연히 사정에 따라서는 소멸할 수 있습니다. 물권이 없어져 버리는 이유에는 여러 가지가 있을 수 있겠지요. 다만, 우리 민법의 물권 총칙 파트에서는 '혼동'의 사유만을 제시하고 있습니다. 다른 사유는 무엇이 있는지 알아보기 전에, 일단 '혼동'이 도대체 무엇인지 알아보고 가도록 합시다.

혼동(混同)이라는 단어는 일상생활에서는 이것저것 뒤섞여서 헷갈린다, 라는 뜻 정도로 사용됩니다만, 법학에서는 조금 다르게 사용됩니다. '섞일 혼'에 '같을 동'의 한자를 쓰는데, 이는 서로 대립하

는 두 개의 법률상의 지위나 자격이 동일인에게 귀속하는 것을 말한다고 합니다(김준호, 2017). 이렇게 말하면 어려우니, 예를 들어 보겠습니다.

철수는 돈이 좀 급합니다. 그래서 오랫동안 연락을 끊고 지냈던 아들에게 급히 연락을 해서 돈을 빌려달라고 합니다. 그런데 아들은 좀 불효자여서, 아버지인 철수에게 그냥은 돈을 못 빌려주겠다고 하면서, 철수가 돈을 제대로 갚을 것인지 당최 믿을 수가 없으므로 돈을 빌려주는 대신 철수가 가진 100평의 토지에 저당을 잡자고 합니다.

즉, 저당권을 설정하기로 한 것입니다(아직 구체적으로 공부하지는 않았지만 '저당권' 역시 민법이 정한 물권의 한 종류라는 것을 제185조에서 알아본 바 있습니다. 여기서는 철수가 자기 땅을 담보 잡혀서 돈을 빌렸다고 단순히 생각하고 넘어가도록 합시다). 철수의 아들은 철수의 토지에 대한 저당권자가 되는 것입니다.

그런데 철수가 돈을 갚기 전에 그만 병으로 사망하고 말았습니다. 이제 철수의 땅은 상속되어 (불효자이긴 하지만) 아들에게 소유권이 돌아가게 됩니다. 그러면 이제 아들은 (사망한) 철수의 토지에 대한 '저당권' 뿐만 아니라 '소유권'도 갖게 됩니다. 이 경우 사실상 소유권 외의 저당권은 아들이 가지고 있어 보아야 의미가 없습니다. 자기가 자기 땅에 저당 잡아서 무슨 소용이 있겠습니까.

그래서 사례를 대입해 제191조제1항을 다시 읽어 보면, "동일한 물건(토지 100평)에 대한 소유권과 다른 물권(저당권)이 동일한 사람(철수의 아들)에게 귀속한 때에는 다른 물권(저당권)은 소멸한다"라는 뜻이 됩니다. 그런데, 제1항 단서는 무슨 말일까요?

위의 예를 확장해 보겠습니다. 철수가 돈을 갚을 때가 되지 않은 상태이고, 돈을 갚지도 않았으며, 아직 사망하지도 않았다고 합시다. 철수의 아들은 여전히 철수의 토지에 대한 저당권자이고 철수는 여전히 땅의 소유권자입니다.

그런데 아들이 급히 현금 투자를 할 일이 생겨, 자신이 가진 '저당권' 그 자체를 담보로 하여 다시 김투자라는 사람에게 돈을 빌렸습니다(이처럼 저당권에 대해서 질권을 설정하는 것은 권리질권의 일종이 되는데요, 추후에 다루는 것으로 하고 일단 넘어가도록 하겠습니다. 어차피 내용 이해에는 큰 문제가 없을 것입니다).

이런 상황에서 철수가 사망했다고 합시다. 그러면 아들이 철수의 땅을 받게 되어 소유권자가 되었으므로, 제191조제1항 본문에서 말한 것처럼 '혼동'으로 저당권을 없애 버리면 되는 걸까요?

만약 그렇게 한다면, 그 저당권을 담보로 해서 권리를 가지고 있던 김투자의 입장은 굉장히 곤란하게 되어 버립니다. 돈을 갚지 않은 것은 철수인데, 뜬금없이 김투자가 피해를 입게 되어 버리는 것입니다.

그래서 제191조제1항 단서는 원래는 혼동으로 소멸하여야 할 물권이 제3자(사례에서는 김투자)의 권리의 목적이 된 경우에는 소멸하지 않는다고 하여, 제3자를 보호하고 있는 것입니다.

제2항은 물권 중에서도 소유권 외의 권리에 대해서도 혼동의 법리가 적용될 수 있다는 점을 명시하고 있는데요, 이에 대해서는 저당권, 전세권 등 다른 물권에 대해서 구체적으로 공부하신 후에 좀 더 편하게 이해하실 수 있을 것입니다. 일단은 제1항만 보더라도 혼동이 무슨 뜻인지는 충분히 이해하시리라 생각합니다.

제3항은 점유권에 대해서는 제1항 및 제2항의 규정을 적용하지 않는다고 합니다. 점유권에 대해서는 일전에 잠깐 본 적이 있었는데, 이는 물건에 대한 점유에 의하여 발생하는 권리이므로, 논리상 다른 물권과 양립하지 못할 이유가 없습니다. 소유권자가 물건을 점유하고 있다면 점유권을 가져서 이상할 것은 없다는 것이지요. 점유권은 다른 물권과는 조금 다른, 독특한 성질을 갖고 있다는 것을 여기서 알 수 있습니다.

지금껏 '혼동'에 의해서 물권이 소멸할 수 있다는 것을 공부하였는데요, 그러면 혼동 이외에 민법에 적혀 있지 않은 다른 소멸 사유는 무엇이 있을까요?

대표적으로 목적물의 멸실이 있습니다. 철수가 가진 볼펜이 벼락을 맞아 없어져 버렸다면, 볼펜에 대한 철수의 소유권도 당연히 소멸합니다. 소유를 하고 싶어도 소유의 대상이 있어야 하지요.

또한, 전에 [총칙]에서 공부하였던 소멸시효의 완성으로 물권이 소멸하기도 합니다. 다만, 전에 공부했던 대로 소유권은 소멸시효의 대상이 되지 않고(제162조제2항), 그 외에 앞으로 공부할 다른 몇몇 물권들도 소멸시효에 걸리지 않는 경우가 있어 실질적으로 소멸시효에 걸리는 물권은 지상권 및 지역권이라고 볼 수 있습니다. 이는 추후 해당 파트에서 상세히 보도록 하겠습니다.

제162조(채권, 재산권의 소멸시효) ①채권은 10년간 행사하지 아니하면 소멸시효가 완성한다.
②채권 및 소유권 이외의 재산권은 20년간 행사하지 아니하면 소멸시효가 완성한다.

그 외에도 물권의 포기 역시 소멸 사유가 될 수 있습니다. 철수 본인이 스스로 '볼펜'에 대한 소유권을 포기하겠다고 한다면(상대방 없는 단독행위), 누가 이를 말릴 수 있겠습니까? 볼펜에 대한 철수의 소유권은 소멸하게 되겠지요. 그러면 철수의 볼펜은 무주물(주인 없는 물건)이 될 것입니다.

오늘은 물권이 소멸하는 여러 사유, 그중에서도 특히 혼동에 대하여 알아보았습니다. 내용이 많지만 추후의 논의를 위한 중요한 개념

들이 있으므로 꼼꼼히 읽어 보시길 추천드립니다. 내일부터는 드디어 '점유권'에 관한 내용을 알아보도록 하겠습니다.

*참고문헌

김준호, 「민법강의(제23판)」, 법문사, 2017, 549면.

Part 2.

제2장, 점유권

제192조(점유권의 취득과 소멸)

①물건을 사실상 지배하는 자는 점유권이 있다.

②점유자가 물건에 대한 사실상의 지배를 상실한 때에는 점유권이 소멸한다. 그러나 제204조의 규정에 의하여 점유를 회수한 때에는 그러하지 아니하다.

오늘부터는 물권법에서의 중요한 파트 중 하나인 점유권에 대해 공부하겠습니다. 전에도 잠깐 맛을 본 적이 있지만, 좀 더 상세히 알아봅시다.

민법 제192조제1항은 물건을 사실상 지배하는 자는 점유권이 있다고 선언합니다. 즉 점유(물건에 대한 사실상의 지배)를 하고 있는 사람에게 '점유권'이라는 권리를 부여하고 있는 것입니다.

철수가 볼펜을 지니고 있는 경우, 철수는 그 볼펜의 진정한 소유자인지를 불문하고 일단 볼펜을 점유하고 있으므로, 점유권이 있다고 할 수 있습니다. 철수가 그 볼펜을 설령 누군가에게 훔친 거라고 하더라도 점유권은 있습니다.

"물건을 훔쳤는데도 점유권을 인정해 주다니, 너무 불합리한 것 아닙니까?"

그다지 불합리하지 않습니다. 소유권과 점유권은 엄연히 다른 것

이기 때문입니다. 제192조제1항은 '사실상의 지배'를 할 것을 요건으로 제시하고 있지, '정당하게 물건을 취득하였을 것'을 요건으로 제시하고 있지는 않다는 점을 기억하시기 바랍니다.

철수에게서 볼펜을 도둑맞은 사람은 여전히 볼펜의 진정한 소유자이기 때문에, 그 소유권에 기하여 철수에게 볼펜을 반환할 것을 청구할 수 있고, 또 철수는 경찰에게 붙잡혀 절도죄로 법정에 서게 될 수도 있을 것입니다. 점유권만 있다고 전부가 아닙니다.

그런데 왜 이런 점유 제도를 두는 걸까요? 이에 대해서는 다채로운 학설이 있지만, 최대한 학설을 단순화하여 말씀드려 보겠습니다.

물건은 보통 누군가가 지배하고 있습니다. 부동산도 그렇고, 동산도 보통 누군가가 지배하고 있습니다. 그런데 누군가가 물건을 지배하고 있다고 할 때, 그 지배가 정당한 과정을 거쳐서 탄생한 것인지 얼굴에 써 붙이고 있는 것은 아닙니다.

따라서 이러한 사실상의 지배를 일단은 인정해 주고 보호해 주지 않는다면, 현실에서는 큰 혼란이 발생할 수 있는 것입니다. 일단 외견상 보이는 점유의 상태를 인정하고, 그에 따른 권리를 인정해 주려는 것이 점유권이라는 제도를 둔 취지라고 하겠습니다.

그러면 이 시점에서 이런 궁금증이 생길 것입니다. "도대체 그러면 점유권이 있으면 뭐가 좋은 거지?"

점유권은 아까 말씀드린 대로 도둑에게도 인정되는 것이기 때문에, 현실적으로 굉장히 의미 있고 중요한 권리를 인정해 주기는 어렵습니다.

때문에 점유권은 물건을 사실상 지배하는 상태를 그대로 누릴 수 있도록 하는 내용으로 이루어져 있는데, 소유권이 그 물건을 절대적으로 지배하면서 사용, 수익까지 할 수 있는 내용인 것과는 차이가 있습니다.

참고로, 여기서 주의할 것은, 점유권과 점유를 정당화할 수 있는 권리(점유할 권리)는 다르다는 겁니다. 예를 들어 정당한 소유권이 있는 사람은 그 물건을 점유하는 것이 당연히 정당화됩니다. 그러나 정당한 소유권이 없는 자(예: 도둑)는 물건을 점유하더라도 점유권은 있지만 그 점유가 정당한 것으로 인정될 수는 없습니다.

이처럼 점유권은 다른 물권(소유권, 저당권, 지상권 등)에 비하여 점유로부터 나오는 것이지만 점유 그 자체를 정당화할 수는 없는데, 이러한 의미에서 점유권 외의 다른 물권은 '근원이 될 수 있다'는 뜻으로 본권(本權)이라고 부르기도 합니다. 그러니까 '물권'에는 '본권'과 '본권이 아닌 권리'(점유권)가 있는 거지요. 다소 복잡하지만 기억하고 넘어가시는 것이 좋겠습니다.

이제 제192조제2항을 봅시다. 제2항도 점유권의 논리상 자연스러운 내용을 담고 있습니다. 점유권은 점유라는 상태에 기반하여 인

정되는 것이니까, '사실상의 지배'를 상실한 때에는 당연히 점유권도 소멸한다는 것입니다.

이처럼 점유권은 점유라는 상태에 따라 있다가 없다가 할 수 있는 것이어서 일시적인 권리라고 부르는 사람도 있습니다. 로마 시대의 법학자 율피아누스(Ulpianus)는 이러한 점유 제도에 대하여, "점유는 법의 문제가 아니라 사실의 문제이다"(Possessio non est iuris, sed facti)라고 한 바 있지요(곽윤직, 1992).

그런데 제2항 단서에서는 예외를 규정하고 있는데요, 단서에 따르면 설령 사실상의 지배를 현실적으로 상실하였다고 하더라도 민법 제204조에 따라서 점유를 되찾은 경우에는 처음부터 점유를 상실하지 않았던 것으로 쳐준다는 것입니다. 잠깐 제204조를 봅시다.

제204조(점유의 회수) ①점유자가 점유의 침탈을 당한 때에는 그 물건의 반환 및 손해의 배상을 청구할 수 있다.
②전항의 청구권은 침탈자의 특별승계인에 대하여는 행사하지 못한다. 그러나 승계인이 악의인 때에는 그러하지 아니하다.
③제1항의 청구권은 침탈을 당한 날로부터 1년내에 행사하여야 한다.

제204조에 따르면 정당한 점유자, 예를 들어 볼펜을 도둑맞은 원래의 볼펜 주인은 제204조에 따라 볼펜의 반환을 청구할 수 있으며, 도둑은 볼펜을 돌려주어야 합니다. 현실적으로 점유를 회복하기 위

한 소송을 제기하여 이기는 것도 여기에 포함된다고 하겠습니다. 어쨌거나 이러한 과정을 거쳐서 볼펜을 돌려받게 된다면, 볼펜 주인은 처음부터 볼펜의 점유를 계속하였던 것으로 보게 됩니다.

오늘은 점유권의 개념에 대하여 공부하였습니다. 이제 차근차근 점유권의 내용과 효과 등에 대해서 알아볼 건데요, 내일은 점유권과 상속에 대해 알아보겠습니다.

*참고문헌

곽윤직, 「민법주해(IV)」, 박영사, 1992, 287면.

제193조(상속으로 인한 점유권의 이전)

점유권은 상속인에 이전한다.

오늘 공부할 것은 점유권의 상속에 관한 내용입니다. 사실 현실적으로는 점유권이란 물건을 사실상 지배하는 상태로부터 발생하는 것이기 때문에, 누군가가 사망한다고 하면 돌아가신 분의 '점유' 역시 없어지는 것으로 보아야 할 것입니다.

따라서 제193조가 없다고 가정한다면, 논리적으로는 피상속인의 사망과 동시에 그가 물려주는 재산에 대한 점유권은 소멸하여야 합니다. 그러나 우리 민법은 그렇게 딱딱하고 엄격하게만 보지 않고, 점유권이 상속인에게 이전된다고 하여 융통성 있는 조문을 두고 있습니다.

여기까지 공부하셨어도 아마 점유권이 구체적으로 무엇을 의미하는지 감이 잘 오지 않으실 겁니다. 당연한 것이, 아직 우리는 점유가 실제 어떻게 이루어지는지 상세히 알아보지 않은 상태이기 때문입니다. 내일부터 그 부분에 대해 알아보도록 하겠습니다.

제194조(간접점유)

지상권, 전세권, 질권, 사용대차, 임대차, 임치 기타의 관계로 타인으로 하여금 물건을 점유하게 한 자는 간접으로 점유권이 있다.

자, 오늘은 점유의 유형에 대해 알아보겠습니다. 양이 많으니 정신 차리셔야 합니다.

점유는 물건에 대한 사실상의 지배를 의미한다고 했습니다. 그런데 여기서 말하는 '사실상의 지배'가 도대체 어디까지를 의미하는 것인지, 우리는 구체적으로 알아본 적이 없습니다.

예를 들어 철수가 군산시에 있는 작은 집의 소유자라고 합시다. 소유자인 철수가 집 안에서 커피를 끓여 마시고 있다면, 왠지 집을 '사실상 지배'하고 있다는 사실이 당연해 보입니다.

좋습니다. 그런데 철수가 커피를 사러 집 밖으로 나갔다고 합시다. 그러면 그건 '사실상의 지배'를 상실한 것으로서, 점유권도 소멸하는 것이 될까요? 그러면 철수는 하루에도 (바깥에 외출을 함으로써) 여러 번 점유권을 잃었다가, 얻었다가 하는 걸까요?

우리의 질문은 여기서부터 시작합니다. 도대체 '점유'란 무엇일까요? 법학에서 말하는 점유의 의미를 알아보고, 제194조로 돌입하도록 하겠습니다.

우리의 판례는 "물건에 대한 점유란 사회관념상 어떤 사람의 사실적 지배에 있다고 보여지는 객관적 관계를 말하는 것으로서, 사실상의 지배가 있다고 하기 위하여는 반드시 물건을 물리적·현실적으로 지배하는 것만을 의미하는 것이 아니고, 물건과 사람과의 시간적, 공간적 관계와 본권관계, 타인 지배의 배제 가능성 등을 고려하여 사회관념에 따라 합목적적으로 판단하여야 한다"라고 합니다(대법원 2000. 12. 8. 선고 2000다14934 판결). 이러한 판례의 논리를 빌려 유형을 나누어 봅시다.

1. 시간적 관계에 따른 사실상 지배의 판단: 너무 시간이 짧으면 점유로 인정하기 곤란하다.

휴대전화를 어디에 뒀는지 기억이 안 나서, 옆에 있는 친구의 전화를 약 5초간 빌려 썼다고 합시다. 그러면 내가 친구의 전화를 잠시나마 점유했다고 할 수 있을까요? 점유에는 어느 정도의 시간적 계속성이 필요합니다. 저 전화 빌려쓰기의 사례는 계속성이 없어서 저 정도로 점유라고 하기는 어려울 것입니다.

2. 공간적 관계에 따른 사실상 지배의 판단: 물리적 지배력을 미칠 수 있는 가능성이 있다면 그 공간에 대해서도 점유가 인정될 수

있다.

예를 들어 철수가 자신의 집을 점유하고 있다고 합시다. 철수는 움직이기를 귀찮아 하는 성격이라서, 퇴근 후에는 거실에서 거의 움직일 생각을 하지 않습니다.

그러면 철수의 집 지하실에 있는 오래된 골동품은 철수가 점유하고 있는 것이 맞을까요? 철수는 지하실에는 거의 내려가지 않는데도 그럴까요?

네, 점유가 맞습니다. 사실 정말 엄격하게 현실적이고 물리적인 의미로서의 개념만을 따진다면, 철수가 10년 넘게 쳐다보지도 않고 방치한 지하실 골동품을 '점유'하고 있다고 볼 수는 없다 주장할 수도 있을 것입니다.

그러나 일단 철수는 집을 점유하고 있고, 집 안, 지하실에 있는 골동품은 공간적 관계에 미루어 보았을 때 역시 철수가 점유하고 있는 것으로 보아야 타당할 것입니다.

이 지점에서 우리는 민법에서 말하는 '점유'가 우리가 생각하는 단순한 '물건의 소지'와는 다르다는 것을 알 수 있습니다. 위에 언급한 판례에서 말하듯이, 물건에 대한 점유는 반드시 물건을 물리적·현실적으로 지배하는 것만을 의미하는 것이 아니라는 겁니다.

이제 판례의 이 문장이 이해가 가실 겁니다. 그러면 이러한 내용

을 염두에 두고, 다음 부분으로 넘어가도록 하겠습니다.

3. 본권관계에 따른 사실상 지배의 판단: 소유권 등 본권을 고려해서 점유 여부를 판단할 수 있다.

이제 이 부분에서 우리는 철수와 집의 관계에서 점유의 문제를 확실히 알 수 있습니다. 철수는 집의 정당한 소유자이기 때문에, 그 소유권과의 관계를 고려하여 보았을 때 설령 집을 물리적으로 점거하고 있지 않다고 하더라도 그 집을 점유하고 있는 것으로 볼 수 있다는 겁니다.

다만, 여기서 한 가지 주의할 것이 있습니다. 일단은 본권의 유무가 점유의 성립에는 영향을 주지 않는 것이 원칙이라는 것입니다. 앞서 말했듯이 본권이 전혀 없는 도둑에게도 점유는 인정될 수 있는 것이니까요. 그러나, 사회관념상으로는 본권의 유무가 점유 여부를 판단하는 데에 유력한 표준이 될 수 있다는 것입니다(박동진, 2022). 이 미세한 표현상의 차이를 곱씹어 이해해 보시기 바랍니다.

판례는 "사회통념상 건물은 그 부지를 떠나서는 존재할 수 없는 것이므로 건물의 부지가 된 토지는 그 건물의 소유자가 점유하는 것으로 볼 것이고, 이 경우 건물의 소유자가 현실적으로 건물이나 그 부지를 점거하고 있지 아니하고 있더라도 그 건물의 소유를 위하여 그 부지를 점유한다고 보아야 한다."(대법원 2003. 11. 13. 선고 2002다57935 판결)라고 하여, 건물의 소유자의 경우 물리적으로 그 건물을 점거하고 있지 않아도 그 건물뿐만 아니라 그 건물이 세워진 땅에 대해서까지 점유를 인정한 바 있습니다. 따라서 이 논리에 따르면 땅 소유자가 건물 소유자에게 '불법점유'를 이유로 나가라고 할 수는 없게 됩니다.

결국 집의 정당한 소유자인 철수는 감자칩을 사러 슈퍼에 100번을 다녀오건, 며칠간 부산에 여행을 다녀오건 상관없이 집을 점유하고 있는 것으로 판단할 수 있습니다. 따라서 철수가 외출을 좀 했다고 해서 점유권을 잃었다가, 다시 얻었다가 하지는 않는다는 겁니다.

4. 타인 지배의 인식 및 배제 가능성에 따른 사실상 지배의 판단: 남이 보기에 사실상 지배를 인식할 수 있는 정도는 되어야 한다.

예를 들어 어떤 땅에 영희가 매일 밤 새벽에 몰래 가서 점거를 한다고 합시다. 그런데 그 사실을 아무도 모릅니다. 나중에 영희는 자신이 그 땅을 수십 년간 '점유'했다고 주장합니다.

타당하지 않습니다. 사실상 지배가 있었다고 하기 위해서는, 최소한 그가 사실상 지배를 한다는 사실을 타인이 어느 정도 인식할 수 있어야 하고, 또 누군가 점유를 방해 또는 간섭할 경우 이를 배제할 수 있는 가능성이 있어야 합니다.

5. 점유설정의사

지금까지 점유를 인정할 수 있는 '사실상 지배'를 어떻게 판단할 것인지, 그 판단 기준에 대해서 알아보았는데요, 우리의 통설은 점유가 성립하기 위해서는 이러한 사실상 지배뿐만 아니라 추가로 물건을 사실상 지배하려는 의사까지 필요하다고 보고 있습니다. 이를 점유설정의사라고 부릅니다.

민법에서 명시적으로 점유설정의사를 점유의 성립요건으로 제시하고 있는 것은 아니지만, 학계의 통설은 점유설정의사가 점유의 성립에 필요하다고 보고 있습니다. 따라서 당사자의 집 마당에 주인도 모르게 떨어져 있었던 물건에 대해서 주인의 점유설정의사가 있었다고 보기는 어려우므로, 주인이 그 물건을 점유했다고 하기는 힘들 것입니다.

이제 본격적으로 제194조를 봅시다. 제194조는 간접점유의 개념을 명시하고 있습니다. 점유는 여러 유형으로 나눌 수 있는데, 그 중 한 분류로서 우리는 오늘 '직접점유'와 '간접점유'를 공부할 것입니

다.

직접점유는 단어를 통하여 알 수 있듯이 누군가 직접 점유를 한다는 뜻입니다. 반대로 간접점유는 스스로 직접 점유를 하는 것은 아니나, 다른 사람에게 물건을 점유하게 함으로써 간접적으로 그 물건을 점유한다고 인정받는 것을 말합니다.

단순한 예를 들어 보겠습니다. 철수는 자신의 부동산(물건)을 영희에게 빌려주고, 월세로 매달 30만 원을 받고 있는 상태입니다. 그러니까 철수와 영희 사이에는 임대차 계약이 존재하겠지요. 제194조에서 말하는 "지상권, 전세권, 질권, 사용대차, 임대차, 임치 타의 관계"에 해당하는 것입니다.

이 상황에서는 부동산을 직접점유하고 있는 사람은 바로 영희입니다. 철수가 직접 부동산을 점유하고 있는 것은 아닙니다. 하지만 이 관계에서는, 바로 실제 집주인인 철수에게 직접점유 대신 '간접점유'를 인정하여 준다는 것입니다. 따라서 이 부동산에 대한 점유

는 2명이 동시에 하고 있는 것이라고 볼 수 있습니다.

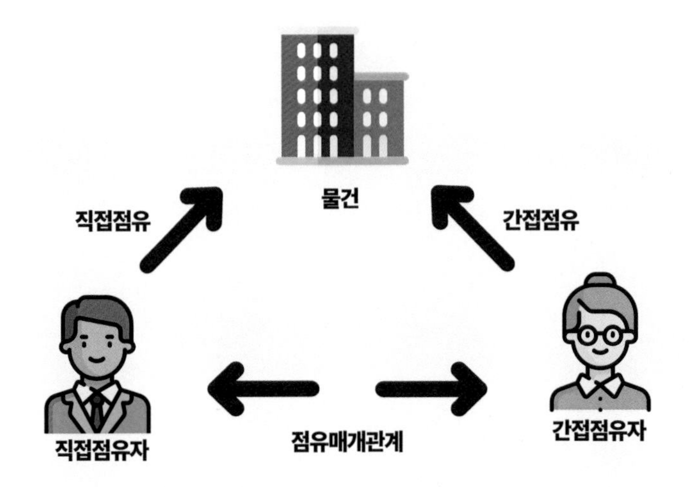

그러면 도대체 왜 굳이 이런 제도가 필요한 걸까요? 직접점유만으로는 부족한 걸까요? 이러한 간접점유가 필요한 까닭은, 직접점유자(사례에서는 영희) 뿐 아니라 직접점유를 하고 있지 않은 사람(사례에서는 철수)의 이익도 어느 정도 보호할 필요가 있기 때문입니다. 그리하여 간접점유를 통하여 '점유'의 개념을 확장한 것입니다.

그러면 간접점유는 어떤 경우에 인정되는 걸까요? 제194조에 따르면, 간접점유가 인정되기 위하여는 ①"지상권, 전세권, 질권, 사용대차, 임대차, 임치 기타의 관계"가 있어야 하고, ②이러한 관계를 통하여 "타인에게 물건을 점유하게 만들어야" 합니다. 따라서 단순히 아무런 관계도 없는 사람이 물건을 점유한다고 해서 간접점유가 인정되지는 않습니다.

이처럼 간접점유를 발생시키는 관계를 법학에서는 점유매개관계(占有媒介關係)라고 부릅니다. '매개'란 어떤 것 사이, 중간에서 관계를 맺어준다는 의미로 자주 쓰이지요. 앞에서 잠깐 나왔던 단어입니다.

제194조에서는 그러한 점유매개관계로서 지상권, 전세권, 질권, 사용대차, 임대차, 임치를 들고 있는데 이는 예시로 든 것이어서 이 중에 포함되지 않은 것이라도 점유매개관계를 성립시키는 효과를 가져올 수 있습니다.

*다만, 간접점유의 성립요건으로서 점유매개관계가 필요하다는 통설에 대하여, 점유매개관계가 반드시 필요한 것은 아니고 사실상의 반환청구력이 있으면 족하다며 비판하는 견해도 있는데(이상태, 2007) 여기서는 다수의 견해로 여겨지는 입장에 따라 설명하도록 하겠습니다.

고등법원 판결에서는 이러한 점유매개관계가 성립할 수 있는 요건으로서, "점유매개관계는 ① 간접점유자의 직접점유자에 대한 반환청구권과 ② 직접점유자의 타주점유, 즉 자신의 점유를 간접점유자의 반환청구권을 승인하면서 행사하는 것을 성립요건으로 한다." 라고 설명하고 있습니다(서울북부지법 2012. 7. 12. 선고 2011가

단34801 판결: 항소).

대법원 역시 “점유매개관계는 직접점유자가 자신의 점유를 간접점유자의 반환청구권을 승인하면서 행사하는 경우에 인정된다.”라고 합니다(대법원 2012. 2. 23. 선고 2011다61424,61431 판결).

판례의 말은 이런 뜻입니다. 간접점유자가 직접점유자에 대해 반환청구권이 있다는 것은, 해당 관계가 종료되면 물건을 돌려줄 것을 간접점유자가 요구할 수 있다는 겁니다.

예를 들어 위의 사례에서 철수와 영희 간에는 임대차 계약이 성립해 있는데, 만약 해당 계약이 종료된다면 철수는 당연히 자기 소유의 부동산을 자신에게 되돌려줄 것을 영희에게 요구할 수 있는 겁니다.

이렇게 되면 사실 논리상 여기서의 직접점유자는 타주점유를 할 수밖에 없는데, 아직은 우리가 타주점유를 공부하지 않았으니까 나중에 해당 파트를 공부한 후 말씀드리도록 하겠습니다.

지금까지 간접점유가 무엇인지, 점유매개관계란 무엇인지에 대해서 열심히 알아보았는데요, 이제 마지막으로 생각해 볼 수 있는 것은 이겁니다. “간접점유로 점유권을 인정받으면 뭐가 좋을까?”

이 부분은 점유권의 내용(효과)와 밀접한 관계가 있으므로, 추후 해당 파트에서 다시 한번 짚도록 하겠습니다.

오늘 아주 길고 어려운 내용을 공부하시느라 고생이 많았습니다. 그래도 중요한 부분이라 그냥 지나가기가 어려웠고, 또 이번에 길게 공부한 덕택에 앞으로는 조금 더 수월한 민법 읽기가 되지 않을까 기대합니다.

내일은 점유보조자의 개념에 대해 알아보겠습니다.

*참고문헌

박동진, 「물권법강의(제2판)」, 법문사, 2022, 131면.

이상태, "간접점유의 연원", 「일감법학」 제11권, 2007, 2면.

제195조(점유보조자)

가사상, 영업상 기타 유사한 관계에 의하여 타인의 지시를 받아 물건에 대한 사실상의 지배를 하는 때에는 그 타인만을 점유자로 한다.

우리는 어제 간접점유의 개념에 대하여 알아보았습니다. 점유는 직접점유와 간접점유로 나눌 수가 있고, 점유의 개념이 단순히 눈으로 직접 볼 수 있는 '소지'보다 더 넓게 해석될 수 있다는 것을 확인하였습니다.

오늘은 배울 내용은 점유보조자에 대한 내용인데, 제195조에 따르면 점유보조자란 '가사상, 영업상 기타 유사한 관계'에 의하여 타인의 지시를 받아 물건을 사실상 지배하는 자라고 합니다.

그런데 제195조에 따르면 점유보조자는 물건을 사실상 지배하는 것은 맞지만, 그 물건을 점유한다고 인정해주는 사람은 아닙니다("그 타인만을 점유자로 한다"의 의미). 무슨 뜻일까요?

예를 들어 보겠습니다. 철수는 자신의 옷가게를 운영하고 있습니다. 가게의 소유자도 철수이고, 그 가게 안에 있는 옷도 모두 철수가 점유하고 있습니다.

그런데 철수가 다른 도시에 오래 머물 일이 생겨, 가게를 돌볼 만한 사람이 필요해졌습니다. 그래서 영희라는 사람을 고용하여 종업원으로 쓰고 있습니다.

제195조를 사례에 따라 다시 읽어 보면, 철수와 영희 사이에는 가사상, 영업상 기타 유사한 관계가 있으며(철수가 영희를 종업원으로 고용한 관계), 영희는 타인(철수)의 지시를 받아 물건(옷)을 사실상 지배하고 있는데, 이 관계에서 영희는 빼고 오직 지시를 내린 철수(타인)만을 점유자로 보겠다는 것입니다.

즉, 여기서 철수는 직접 옷을 물리적으로 관리하고 지배하지는 않지만, 점유보조자라는 사람을 통해서 '점유' 그 자체는 하고 있다고 보아야 할 것입니다.

이와 같이 가사상 또는 영업상의 이유 등으로 타인에게 지시를 내리고, 그에 따라 물건을 지배하는 관계를 점유보조관계라고 부릅니다. 점유보조관계는 어제 공부한 '점유매개관계'와는 완전히 다른 것이므로 서로 구별하여야 합니다.

"그러면 종업원인 영희는 간접점유를 하고 있다는 건가요?"

이렇게 묻는 경우가 있는데, 절대 아닙니다. 간접점유자와 점유보조자는 아예 다른 개념이기 때문입니다(하긴 다르기 때문에 서로 다른 조문으로 떼어서 규정했겠지요).

위 사례에서 영희는 점유보조자로서 물건을 사실상 지배하고는 있으나 제195조에 따라 점유자로서는 인정받지 못하는 사람입니다.

간접점유자와 점유보조자는 둘 다 물건을 사실상 지배하는 사람이라는 점에서는 동일하지만, 간접점유자는 (간접)점유를 인정받고 그에 따라 점유권을 행사할 수 있는 반면, 점유보조자는 점유를 인정받지 못하므로 점유권도 행사할 수가 없게 됩니다.

그럼 점유보조자는 뭐 할 수 있는 게 아무것도 없는 것이냐? 그건 아닙니다. 학설에서는 점유보조자라고 할지라도 예외적으로 자력구제권은 행사할 수 있다고 보는 견해가 많습니다. 이 부분에 대해서는 나중에 자력구제권과 관련된 파트에서 좀 더 상세히 다루도록 하겠습니다.

그러면 왜 굳이 점유보조자에게는 점유권을 주지 않도록 제도를 만들어, 간접점유와 구별하도록 정하고 있는 것일까요? 사실 점유보조자에게까지 점유권을 주게 되면 오히려 점유 제도에 혼란이 발생할 수 있습니다.

어제 공부한 점유매개관계에 따른 '간접점유'의 경우, 임대차 계약 등을 통해 대등한 관계에서 물건을 사실상 지배하는 사람에 대해서 권리를 어느 정도 보호해 줄 필요가 있어서 마련한 제도입니다.

그러나 '점유보조자'의 경우 대등한 관계가 아니고, 지시를 받는 수직적인 관계이며, 그 사람들에게 굳이 점유권까지 인정해 줄 필요성이 별로 없습니다. 이 사람들을 인간적으로 무시해서가 아니라, 법적으로 필요성이 별로 없다는 것입니다.

예를 들어 옷가게의 종업원인 영희가 옷에 대한 점유권을 인정받지 못한다고 해서 영희에게 크게 피해가 갈 일은 없지요. 영희는 그냥 자기가 일한 만큼 월급만 받으면 되니까요.

*다만, 배우자는 원칙적으로 상대 배우자의 재산에 대해서 점유보조자가 될 수 없다고 합니다. 왜냐하면 부부관계는 지시를 전제로 하는 종속적은 관계가 아니기 때문이지요. 즉, 만약 아내가 남편 소유의 물건을 사실상 지배하고 있다면, 그 경우 아내는 점유보조자가 아니라 점유매개관계에 기한 간접점유자로 보아야 한다는 것입니다(박동진, 2022).

한편, 우리의 판례는 고속국도에 관한 (건설부장관의) 권한 일부를 대행하는 한국도로공사는 단지 정해진 범위 내에서 건설부장관(옛날 명칭입니다)을 대행하는 것에 불과하므로 독립한 점유주체가 될 수 없고 단지 건설부장관을 기관으로 하는 대한민국의 점유보조자에 불과하다(대법원 1995. 2. 14. 선고 94다28994 판결)고 하였지만, 고속도로의 추월선에 방치된 각목으로 인하여 사고가 발생한 사건에서는 고속도로의 공작물에 대해서는 한국도로공사가 공작물의 점유자에 해당한다고 보았던 바 있습니다(대법원 1996. 10. 11. 선고 95다56552 판결).

결국 사안에 따라 어떠한 물건의 점유자인지, 점유보조자인지는 달라질 수 있는 것이므로 각각의 사실관계를 면밀히 검토하여야 하고, 주의할 필요가 있습니다.

오늘은 점유보조자의 개념에 대해 알아보았는데, 어제 공부한 내용과 헷갈리지 않도록 꼭 복습해 두시길 바랍니다. 내일은 점유권의 양도에 대해 알아보겠습니다.

*참고문헌

박동진, 「물권법강의(제2판)」, 법문사, 2022, 134면.

제196조(점유권의 양도)

①점유권의 양도는 점유물의 인도로 그 효력이 생긴다.

②전항의 점유권의 양도에는 제188조제2항, 제189조, 제190조의 규정을 준용한다.

예전에 점유권에 대해서 처음 공부하면서 점유권은 상속할 수도 있다고 했습니다(제193조).

제193조(상속으로 인한 점유권의 이전) 점유권은 상속인에 이전한다.

제196조에서는 점유권이 양도될 수도 있다고 합니다. 다만, 점유권의 양도는 점유물을 인도함으로써 효력이 발생한다고 하고 있습니다. 물론, 여기서의 '인도'는 현실의 인도 외에도 우리가 공부하였던 간이인도(제188조제2항)나 점유개정(제189조), 목적물반환청구권의 양도(제190조)로서도 가능하다고 볼 것입니다(제196조제2항).

예를 들어 보겠습니다. 철수는 자신이 가진 볼펜을 영희에게 팔았습니다. 이 경우 철수는 자신의 소유권을 이전함과 동시에 (볼펜을 인도함으로써) 점유권 역시 함께 양도하였다고 볼 수 있습니다. 사실 소유자로서 물건을 사실상 지배하고 있다면 점유권은 자연스레 갖게 되는 것이겠지요. 내일은 점유의 태양을 알아보겠습니다.

제197조(점유의 태양)

①점유자는 소유의 의사로 선의, 평온 및 공연하게 점유한 것으로 추정한다.
②선의의 점유자라도 본권에 관한 소에 패소한 때에는 그 소가 제기된 때로부터 악의의 점유자로 본다.

단어가 어렵습니다. 점유의 '태양'(態樣)이란 무슨 말일까요? 태양이란 뜨거운 해님을 말하는 것은 아니고, 어떠한 모습이나 형태를 말하는 것입니다. '모양 태'에 '모양 양'의 글자를 씁니다.

법학에서나 쓰지 실생활에서는 사실 잘 안 쓰는 표현입니다. 실제로 2019년 8월 9일에 정부가 제출한 「민법 일부개정법률안」(민법이 실제로 개정되었다는 뜻이 아니고, 이렇게 개정하자는 취지로 정부가 안건을 국회에 냈다는 뜻입니다)에 따르면 제197조의 제목을 '점유의 모습'으로 바꾸자고 제안하고 있습니다.

*해당 개정안은 의안정보시스템(http://likms.assembly.go.kr/)에서 의안번호 2021928로 검색하여 확인하실 수 있습니다.

제197조제1항은 점유의 모습에 대해서 소유의 의사로 선의, 평온 및 공연하게 점유한 것으로 추정한다고 규정하고 있는데, 이건 무슨 말일까요?

이 내용에 대해 알기 위해서 우리는 점유를 나누는 또 하나의 유형을 공부할 필요가 있습니다. 자, 그럼 시작해 보도록 합시다.

점유는 소유의 의사에 따라서 자주점유(自主占有)와 타주점유(他主占有)로 나눌 수 있습니다.

자주점유란, 소유(所有)의 의사(意思)를 가지고서 점유를 하는 것을 말합니다. 한자를 보면, 자주점유라는 단어 자체가 스스로 주인이 된다는 의미를 담고 있습니다.

소유의 의사란 무엇일까요? 소유는 무슨 의미인지 대강 아실 것이고, '의사'란 마음속에 품은 생각의 뜻으로 보통 사용하지요. 일단 이렇게 설명을 해봅시다. 점유라고 해서 다 같은 점유는 아닙니다. 예를 들어 보겠습니다. 철수는 A 부동산의 소유자입니다. 그리고 실제로 A 부동산에 살면서 그 부동산을 점유하고 있습니다. 반면, 영희는 다른 사람의 소유인 B 부동산에 세를 들어 살고 있습니다.

이 경우 철수건 영희건 부동산에 대해 점유를 하고 있다는 사실 자체는 동일합니다. 그러나 철수는 소유의 의사를 가지고서 점유를 하고 있는 반면, 영희는 소유의 의사로서 점유를 하고 있다고 보기 어렵습니다.

주의할 것은 단순히 소유권이 있는 사람만이 소유의 의사로서 점유를 할 수 있는 것은 아니고, 소유의 의사란 어떤 물건을 '마치 소유자인 것처럼' 배타적으로 지배하려고 한다는 것을 뜻한다는 점입니다. 영희는 처음부터 임차인으로서 B 부동산에 들어왔기 때문에,

스스로 소유자인 것처럼 물건을 지배할 수는 없다고 보는 겁니다.

예를 들어, 나불쌍이라는 사람이 매매계약을 맺고 작은 시골집을 하나 사들여서 살기 시작했다고 합시다. 그런데 알고 보니 그 매매계약은 무효의 계약이었던 겁니다. 무효의 계약에 의해서 나불쌍이 시골집을 사들일 수는 없으므로, 나불쌍은 시골집의 소유자가 아닙니다.

그러나 그렇다고 해서 나불쌍이 지금 하고 있는 점유가 소유의 의사가 없다고 하기는 어렵습니다. 나불쌍은 소유권이 없더라도 일단 소유의 의사를 가지고 점유를 하고 있는 것입니다.

우리의 판례 역시, "부동산 매수인이 부동산을 매수하여 그 점유를 개시하였다면 설사 매매계약에 무효사유가 있어 그 소유권을 적법히 취득하지 못한다는 사정을 인식하였다 하더라도 그 점유 자체에 소유의 의사가 없다고 볼 것은 아니다."라고 하여 같은 입장입니다(대법원 1992. 10. 27. 선고 92다30375 판결). 이제 소유권의 유무에 따라서 '소유의 의사' 유무를 판단하지는 않는다는 것을 아시겠지요?

다음으로 가봅시다. 대략 눈치를 채셨겠지만 타주점유란 자주점유가 아닌 점유, 즉 소유의 의사를 갖지 아니하고 점유하는 것을 말합니다.

제197조제1항은 그러니까 이런 말입니다. '점유'를 하고 있는 사

람은, 일단 '자주점유'를 하고 있는 것으로 추정해 준다는 뜻입니다(추정의 의미에 대해서는 민법총칙에서 다루었으므로, 여기서는 넘어가도록 하겠습니다).

그런데 이런 의문이 들 수 있습니다. "[소유의 의사]라는 표현은 너무 모호하지 않나요? 말씀하신 거에 따르면 소유자가 굳이 아니더라도 소유의 의사로 점유를 할 수 있다는 말인데, 그 사람 마음속에서 그런 마음을 먹었는지 안 먹었는지를 어떻게 파악합니까?"

맞는 말입니다. 그런데 법학자들도 바보는 아니지요. 그래서 우리의 판례는, "취득시효에 있어서 자주점유의 요건인 소유의 의사의 존부는 객관적으로 점유 취득의 원인이 된 점유 권원의 성질에 의하여 판단하여야 하는 것이고 점유자의 주관적 내심의 의사에 의하여 판단하여야 하는 것은 아닌바, 철거민들이 각 특정 부분을 무상으로 분배받은 것이 아니라 무상으로 사용할 권한만을 부여받아 이에 주택을 신축하여 점유하여 온 것이라면, 철거민의 위 각 특정 부분에 대한 점유는 점유 권원의 성질상 타주점유라고 할 것이다."라고 하여(대법원 1995. 7. 14. 자 95다18024 결정), 다른 사람의 마음속에 있는 의사(내심의 의사)에 따라 주관적으로 막 판단해서는 안 되고, 점유를 시작하게 된 원인, 그 권리가 어떤 성질인지에 따라 판단하여야 한다고 합니다.

예를 들어 위의 사례처럼 영희가 점유를 하는 원인이 되는 권리가 임대차 계약에 따른 임차권이라면, 임차권의 성질상 영희가 소유의 의사를 가지고 부동산을 점유했다고 보기는 어렵다는 것이지요.

그런데 제197조제1항은 자주점유만 말하고 있지 않습니다. 선의, 평온, 공연이라는 특이한 단어도 쓰면서 이 또한 추정해준다고 합니다. 각각 무슨 의미인지 하나씩 알아보도록 합시다.

'선의'라는 단어는 우리가 전에 민법총칙에서 공부한 적이 있었습니다. 그때 공부하기를 법학에서 사용하는 '선의'라는 말은 일상생활에서 쓰는 '착한 의도'라는 뜻이 아니고, 어떠한 사실을 알았느냐, 몰랐느냐로 판단하는 개념이라고 했습니다.

따라서 이 개념을 적용한다면, 여기서 '선의로 점유'한다는 말은 본권이 없음에도 불구하고 있는 것으로 착각하면서 점유한다는 뜻이 됩니다. 반면 '악의로 점유'한다는 말은 본권이 없다는 사실을 알면서도 점유한다는 뜻이 됩니다.

예를 들어 위의 사례에서 나불쌍이 매매계약이 무효임에도 불구하고 무효인 사실을 모른 채 (자신이 진정한 소유자라고 착각하고) 점유를 하고 있다면, 이는 나불쌍이 선의의 점유를 하고 있다고 볼 수 있는 것입니다.

다음으로, 평온(平穩)이란, 보통 일상생활에서는 평화롭고 조용한 상태를 말합니다. 다만 법학에서는 그 의미 그대로 사용되는 것은 아니고 폭력이 동반되지 아니한 것을 말합니다.

그리고 공연(公然)이란, 연극이나 뮤지컬 같은 공연을 말하는 것이 아니라 숨김없이 드러낸다는 뜻으로, 점유의 사실을 남에게 숨기거나 하지 않는 점유가 바로 '공연한 점유'가 됩니다. 이와는 반대로 점유의 사실을 다른 사람에게 숨기는 경우 이를 은비(隱庇)점유라고 합니다. 은비라는 단어 역시 잘 안 쓰는 한자어이긴 한데, 숨긴다는 뜻입니다.

우리의 판례는 "평온한 점유란 점유자가 그 점유를 취득 또는 보유하는 데 법률상 용인될 수 없는 강포행위를 쓰지 아니하는 점유이고, 공연한 점유란 은비의 점유가 아닌 점유를 말하는 것이므로 그 점유가 불법이라고 주장하는 자로부터 이의를 받은 사실이 있거나 점유물의 소유권을 둘러싸고 당사자 사이에 법률상 분쟁이 있었다 하더라도 그러한 사실만으로는 곧 그 점유의 평온·공연성이 상실된다고 할 수 없다."(대법원 1992. 4. 24. 선고 92다6983 판결)이라고 하고 있으니 각각의 의미를 공부하는 데 참고하시기 바랍니다.

결론적으로 제197조제1항에 따르면, 어떠한 물건을 점유하고 있는 사람을 선의로 점유한 것뿐만 아니라 평온하고 공연하게 점유를 하였다는 것이 추정됩니다.

따라서 어떤 물건을 점유하고 있는 사람이 선의가 아니라 악의로 점유하고 있다, 혹은 폭력에 의하여 점유를 하였다고 주장하고 싶은 사람이 있다면, 그런 사실을 입증할 만한 증거를 제출하여야 합니다.

그런데 여기까지 공부하면 이런 생각이 듭니다. "왜 이런 규정을 두고 있는 걸까? 왜 점유만 하면 자주점유뿐만 아니라 선의, 평온, 공연한 점유까지 추정하여 주는 것일까?"

사실 제197조는 나중에 배울 취득시효(제245조), 점유자의 회복자에 대한 책임(제202조), 무주물의 귀속(제252조) 등과 관련하여 주로 문제가 됩니다. 꽤 복잡한 내용이라 여기서 모두 알아볼 수는 없지만, 과연 어떻게 관련되어 있는 것인지 간단하게 맛만 보고 지나가겠습니다. 민법 제245조를 한번 보시죠.

제245조(점유로 인한 부동산소유권의 취득기간) ①20년간 소유의 의사로 평온, 공연하게 부동산을 점유하는 자는 등기함으로써 그 소유권을 취득한다.
②부동산의 소유자로 등기한 자가 10년간 소유의 의사로 평온, 공연하게 선의이며 과실없이 그 부동산을 점유한 때에는 소유권을 취득한다.

우리는 민법 총칙 편에서 시효에 대해 공부한 적이 있었지요. 시효란, 일정한 상태가 어떠한 기간 이상 지속되면 그것이 진실에 부합하는지를 떠나서 그 사실 상태를 존중하여 법률효과를 발생시키는 것이라고 하였습니다. 그리고 우리가 총칙에서 주로 배운 것은 소멸시효였습니다.

민법 제245조에서는 또 다른 시효의 형태인 취득시효에 대해 규

정하고 있습니다. 이는 어떠한 특정한 점유의 상태가 오랜 기간 계속되는 경우에 그 상태를 존중하여, 권리를 취득한 것으로 보는 제도입니다.

예를 들어 제245조제1항에 따르면 자주점유(소유의 의사로 점유) 및 평온, 공연하게 '부동산'을 20년간 점유한 사람은 그 부동산의 소유권을 취득할 수 있습니다. 이 제도의 취지와 내용에 대해서는 나중에 해당 파트에서 알아보도록 하고, 여기서는 일단 이런 제도가 있나보다 하고 넘어가겠습니다.

이제 제245조와 제197조를 함께 보세요. 제245조제1항은 소유권을 얻을 수 있게 해주는 아주 강력한 힘을 가진 조문입니다. 그래서 아무 점유에 대해서 이런 것을 인정해 줄 수는 없고 자주점유, 평온 및 공연한 점유에 대해서만 인정해 주고 있는 겁니다.

그런데 제197조는 이러한 점유 취득시효의 요건인 소유의 의사, 평온, 공연(제245조제1항에서는 '선의'는 요건에서 빠져 있습니다만 제2항에서는 선의를 요구하고 있습니다)을 점유에 의하여 추정될 수 있도록 해줌으로써, (그러한 추정이 뒤집히지 않는 한) 점유자가 점유 취득시효를 통하여 소유권을 취득하는 것이 보다 용이하게 됩니다.

다시 말해 점유를 통해 부동산 취득시효의 완성을 주장하는 사람은 예를 들어 스스로 소유의 의사를 증명할 필요가 없게 됩니다(제

197조에 따른 추정). 반대로 그 부동산을 뺏기지 않으려고(?) 애쓰는 사람, 즉 취득시효의 성립을 부정하는 사람은 스스로 나서서 소유의 의사가 없었던 점유라는 것을 입증하여야 한다는 것입니다(박동진, 2022).

*참고로, 제197조에서는 소유의 의사, 선의, 평온, 공연까지 모두 추정해 주지만 여기서 무과실인 것까지는 추정해 주지 않고 있습니다. 그래서 점유할 때 과실이 없다는 것 정도는 점유자가 직접 알아서 증명해야 합니다(무과실 여부는 나중에 부동산 등기부 취득시효나 동산의 선의취득 등에서 문제됨).

그렇다면 왜 이렇게 제197조를 두고 있는 걸까요? 일각에서는 점유 취득시효제도에 추가하여 '점유에 여러 가지 추정을 덧붙이는'(특히 소유의 의사뿐만 아니라 선의, 평온, 공연한 점유까지 추정하는) 형태의 입법은 우리나라가 일본 민법으로부터 특히 영향을 받은 것이라고 말합니다.

일본 민법은 프랑스 민법을 조정하여 들여오면서 당시 프랑스 민법에는 없는 평온, 공연한 점유까지 추가하였는데요, 이는 점유를 보호하기에 좋다는 취지였던 것으로 보입니다.

그러나 이에 대해서는, "왜 하필 선의, 평온, 공연한 점유까지 모두 점유에 추정해 주어야 하는지"에 대해서 체계적인 분석 없이 일본 민법이 확장하였고, 우리나라 민법에서 이를 다시 받아들인 것은 불합리하다는 비판이 있습니다(이상 일본 민법에 관련한 내용은 최병조(1996) 참조). 이러한 의견이 타당한지는 스스로 한번 생각해 보시기 바랍니다.

오늘은 설명이 많이 길어졌습니다. 물권법의 경우 기초 개념이 많고, 그러한 개념이 있어야만 다음 단계로 넘어갈 수 있기 때문에 지금의 고통(?)이 나중의 발판이 된다는 생각으로 열심히 보시면 좋을 듯합니다.

내일은 점유계속의 추정에 대하여 공부하겠습니다.

*참고문헌

박동진, 「물권법강의(제2판)」, 법문사, 2022, 139면.

최병조, "부동산의 점유취득시효와 점유자의 소유의사의 추정: 민법 제245조 제1항, 제197조 제1항 및 양 조문의 관계에 관한 역사적, 비교법적 고찰", 「서울대학교 법학」 제37권제1호, 1996, 135-140면.

제198조(점유계속의 추정)

전후양시에 점유한 사실이 있는 때에는 그 점유는 계속한 것으로 추정한다.

조문의 제목은 난해해 보이지만 내용은 어제보다 어렵지 않습니다. 전후양시라는 것은 '이전과 이후의 두 시점'을 말하는 것입니다.

예를 들어 2010년 1월 1일에 철수가 어떠한 땅을 점유하였다고 합시다. 이것을 철수는 증명할 수 있습니다. 그러나 그 이후 철수가 그 땅을 계속 점유했는지는 아무도 모릅니다. 다만, 철수가 그로부터 10년 뒤인 (현재) 2020년 1월 1일에 그 땅을 점유하고 있음은 확인할 수 있다고 합시다.

이러한 경우, 철수의 점유 사실은 2010년 1월 1일(과거 특정 시점)과 2020년 1월 1일 현재 시점에 증명될 수 있을 뿐이지만 제198조에 의해서 그 사이의 기간인 10년 동안 계속해서 점유를 해왔던 것으로 추정하여 주는 것입니다.

왜 이런 조문을 두고 있을까요? 현실적으로 기간이 길면 길수록, 점유를 '끊지 않고' 계속 이어 왔다는 사실을 소송에서 입증한다는 것은 굉장히 어려운 일입니다. 따라서 제198조는 점유의 '계속'을 추정하여 줌으로써, 입증의 부담을 완화하여 주는 효과를 내어 주는 것입니다.

실무에서는 어제 잠깐 맛보았던 취득시효와 관련하여 주로 적용되게 되는데, 나중에 취득시효를 어차피 배울 것이므로 그때 가서 한번 더 보기로 합시다.

만약 제198조에 따른 '추정'을 깨뜨리고 싶은 사람이 있다면, 그 사람은 점유가 계속되었다고 추정되는 기간(위의 사례에서는 2010년 1월 1일부터 2020년 1월 1일 사이의 기간)에 점유가 상실되었다는 사실을 따로 입증하여야 합니다.

다만, 점유를 상실하였다고 밝히더라도 우리가 제192조제2항 '단서'에서 배웠던 바와 같이, 제204조에 따라 점유를 다시 회수한 경우라면 그 사이의 기간에도 점유를 잃지 않은 것으로 쳐주게 됩니다. 그러한 경우에는 추정이 다시 유지되는 것으로 보아야 할 것입니다(김용담, 2011). 혹시 기억이 잘 안 나신다면 해당 파트를 복습하고 오셔도 좋습니다.

제192조(점유권의 취득과 소멸) ①물건을 사실상 지배하는 자는 점유권이 있다.
②점유자가 물건에 대한 사실상의 지배를 상실한 때에는 점유권이 소멸한다. 그러나 제204조의 규정에 의하여 점유를 회수한 때에는 그러하지 아니하다.
제204조(점유의 회수) ①점유자가 점유의 침탈을 당한 때에는 그 물건의 반환 및 손해의 배상을 청구할 수 있다.
②전항의 청구권은 침탈자의 특별승계인에 대하여는 행사하지 못한

다. 그러나 승계인이 악의인 때에는 그러하지 아니하다.
③제1항의 청구권은 침탈을 당한 날로부터 1년내에 행사하여야 한다.

오늘은 점유계속의 추정에 대해 알아보았습니다. 내일은 점유의 승계에 대하여 공부하도록 하겠습니다.

*참고문헌

김용담, 「주석 민법 물권1(제4판)」, 한국사법행정학회, 2011, 333면.

제199조(점유의 승계의 주장과 그 효과)

①점유자의 승계인은 자기의 점유만을 주장하거나 자기의 점유와 전점유자의 점유를 아울러 주장할 수 있다.

②전점유자의 점유를 아울러 주장하는 경우에는 그 하자도 계승한다.

오늘 배울 내용은 점유의 승계입니다. '승계'의 의미에 대해서는 총칙에서도 공부한 바 있지만 무엇인가를 이어받는다는 뜻이라고 하였습니다.

제199조제1항은 점유자의 승계인은 자기의 점유만을 주장하거나 자기의 점유와 전점유자의 점유를 아울러 주장할 수 있다고 하는데, 이게 무슨 말인지 도통 이해가 안 갑니다. 예를 들어 보겠습니다.

철수는 어떤 조그마한 땅을 점유하고 있습니다. 철수는 김악당이라는 사기꾼으로부터 그 땅을 사들인 것인데, 사실 그 땅은 김악당의 소유가 아니라 저 멀리 서울에 사는 영희의 소유였습니다. 따라서 철수는 실제 소유자가 아닌 사람에게서 땅을 사들인 것이어서 애초에 땅의 소유권을 취득할 수가 없었습니다.

그런데 철수는 그런 사정을 몰랐고, 또 귀찮아서 부동산 등기도 하지 않고, 단지 그 땅이 자기 소유가 확실하다고 믿으며, 그 땅 위에 건물까지 짓고 땅을 점유하고 있었습니다. 즉, '소유의 의사'를

갖고 자주점유를 하고 있었던 것입니다.

한편 부동산의 진정한 소유자인 영희는 본인이 하는 일이 바빠서 다른 사람이 자기 땅을 점유하고 있는 줄도 몰랐습니다. 그리고 시간이 흘러갔습니다.

제245조(점유로 인한 부동산소유권의 취득기간) ①20년간 소유의 의사로 평온, 공연하게 부동산을 점유하는 자는 등기함으로써 그 소유권을 취득한다.
②부동산의 소유자로 등기한 자가 10년간 소유의 의사로 평온, 공연하게 선의이며 과실없이 그 부동산을 점유한 때에는 소유권을 취득한다.

한편 우리가 얼마 전에 잠깐 공부하였듯이, 우리 법제에는 취득시효 제도라는 것이 있어서 제245조제1항에 따르면 철수가 자주점유로 20년 동안 땅을 점유하면, 등기를 하여 영희의 땅을 자기의 것으로 만들 수 있게 됩니다(여기서 평온, 공연한 점유의 요건은 충족된다고 가정하겠습니다).

그런데 철수는 10년의 점유를 계속하다가 자신의 점유권을 '나승계'에게 넘겨주었습니다(그냥 점유가 아니라 자주점유를 승계함). 이에 나승계는 철수의 뒤를 이어 10년을 더 점유하였습니다.

이 경우 제199조에 따르면 점유자의 승계인(나승계)은 자기의 점

유만을 주장하거나("저는 이 땅을 10년간 점유하였습니다"), 자기의 점유와 전점유자(철수)의 점유를 합쳐서 주장할 수도 있다는 것입니다("저는 이 땅을 전 점유자인 철수의 점유 기간과 합쳐서 총 20년간 점유하였습니다").

그러면 나승계는 원래대로라면 20년이 안 되는 기간을 점유한 것이어서 제245조제1항에 따른 점유 취득시효의 완성을 주장할 수 없을 것입니다. 그러나 제199조가 존재함으로 인해서, 나승계는 철수의 점유 기간과 자신의 기간을 합칠 수 있게 되어 훨씬 유리한 입장에 설 수 있게 됩니다.

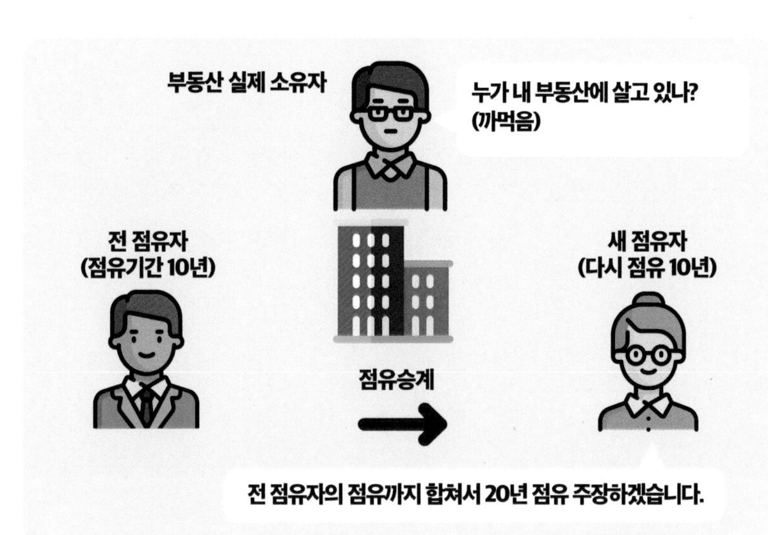

그런데 제199조의 표현을 잘 읽어 보시면 알겠지만 자기의 점유

기간만을 주장하거나 전 점유자의 기간을 합쳐서 주장하는 것 중에 하나를 선택할 수 있습니다. 여기서 그러면 궁금증이 생깁니다.

"선택을 할 수 있도록 폭을 넓혀 주는 것은 알겠는데요, 그러면 어느 누가 자기의 점유만을 주장하는 선택지를 고르겠습니까? 사실상 제199조제1항은 의미가 없는 규정 아닌가요? 뻔한 선택일 텐데요."

아니요, 제199조제1항은 의미가 있는 규정입니다. 왜냐하면 제2항이 있기 때문입니다. 제2항을 봅시다. 여기서는 만약 전 점유자의 점유까지 합쳐서 주장하려면 그 하자까지 한꺼번에 떠안아야 한다고 합니다.

예를 들어 위의 사례에서 철수의 점유가 평온하지도 않고, 공연하지도 않은 점유('은비의 점유')였다고 바꾸어 생각해 봅시다.

그러면 만약 나승계가 철수의 점유까지 합쳐서 주장하게 되면, 설령 나승계 스스로는 평온, 공연한 점유를 하였다고 하더라도 그 기간까지 합친 20년의 기간 전체가 통째로 NO 평온, NO 공연한 점유가 되어 버리는 것입니다.

그러니까 경우에 따라서는 이전 점유자의 점유를 승계할경우 오히려 치명적인 단점이 발생할 수도 있는 것입니다. 이러한 경우라면 나승계 입장에서는 차라리 철수의 점유를 빼고 자신의 점유만을 주장할 충분한 이유가 생깁니다.

지금까지 제199조의 내용을 살펴보았는데요, 여기서 잠깐 어제 배운 내용과 결합하여 공부해 봅시다. '전'의 점유자가 A이고, '후'의 점유자가 B로 서로 다른 사람이라고 하더라도 (A와 B 간의 점유의 승계가 인정된다면) 여전히 '전후양시'의 점유계속의 추정은 유효한 것이 됩니다. 제198조와 제199조를 번갈아 읽으면서 왜 그렇게 되는지 이해해 보시기 바랍니다.

제198조(점유계속의 추정) 전후양시에 점유한 사실이 있는 때에는 그 점유는 계속한 것으로 추정한다.

참고로, 판례 역시 "민법 제198조 소정의 점유계속추정은 동일인이 전후 양 시점에 점유한 것이 증명된 때에만 적용되는 것이 아니고 전후 양 시점의 점유자가 다른 경우에도 점유의 승계가 입증되는 한 점유계속은 추정된다"라고 하여 같은 입장입니다(대법원 1996. 9. 20. 선고 96다24279 판결).

오늘은 점유 승계에 대해서 공부하였습니다. 내일은 권리 적법의 추정에 대하여 알아보겠습니다.

제200조(권리의 적법의 추정)

점유자가 점유물에 대하여 행사하는 권리는 적법하게 보유한 것으로 추정한다.

우리 법제에서 마련한 점유 제도는 현재의 사실 상태(A라는 사람이 B라는 물건을 점유하고 있는 것)를 존중합니다. 또한, 대체로 어떠한 물건을 점유하고 있는 사람은 그 물건에 대한 다른 권리를 적법하게 가지고 있는 경우가 많습니다(물론 아닐 때도 있지만).

그래서 제200조에서는 '추정'의 규정을 둠으로써 그러한 '적법성'에 반론을 제기하려는 사람이 있다면 그 사람이 스스로 증거를 모아 입증을 하도록 하고 있는 것입니다.

예를 들어 길을 걸어가고 있는 철수의 손목에 시계가 있다고 해봅시다. 실제로 철수가 그 시계의 정당한 소유자인지, 아니면 1시간 전에 철수가 백화점에서 그 시계를 훔친 것인지는 아무도 모릅니다. 진실은 철수 본인만이 알고 있겠죠.

그러나 일단은 철수가 그 시계를 '점유'하고 있고, 특히 점유자는 특별한 사정이 없는 한 소유의 의사로 점유하는 것으로 추정되기 때문에(제197조제1항 참조), 철수는 원칙적으로 시계의 소유자로 추정되게 됩니다. 점유가 진실한 권리관계와 부합할 개연성이 있다는 점에서 이와 같은 조문을 두고 있는 것입니다(박동진, 2022).

제197조(점유의 태양) ①점유자는 소유의 의사로 선의, 평온 및 공연하게 점유한 것으로 추정한다.
②선의의 점유자라도 본권에 관한 소에 패소한 때에는 그 소가 제기된 때로부터 악의의 점유자로 본다.

그리고 제200조에서 말하는 '점유물에 대하여 행사하는 권리'는 앞서 예시에서 들었던 소유권뿐만 아니라, 점유물에 대하여 행사할 수 있는 모든 종류의 권리를 포함한다는 것이 통설입니다. 물권 외에도 임차권과 같은 채권도 이에 해당한다는 것이지요.

다만, 제200조의 '추정'이 어디까지 적용되느냐에 대해서는 학자들 간에 의견이 좀 갈립니다. 일단 다수의 학설과 판례는 제200조가 "동산을 점유하는 경우"에 해당된다고 보고 있는데요, 판례는 "점유자의 권리추정의 규정은 특별한 사정이 없는 한 부동산 물권에 대하여는 적용되지 아니하고 다만 그 등기에 대하여서만 추정력이 부여된다."라고 합니다(대법원 1982. 4. 13. 선고 81다780 판결).

왜 이렇게 해석하느냐? 부동산은 제외한다고 제200조에서 한 마디도 써두지 않았는데, 왜 제200조가 부동산에 대해서는 적용되지 않는다고 해석하는 걸까요? 학자들도 바보는 아니고, 당연히 이유가 있습니다. 우선 부동산 물권의 경우 앞에서 공부했던 바와 같이 '등기'라고 하는 좋은 공시방법이 있습니다.

게다가 우리가 구체적으로 공부하지는 않았지만, 우리나라에서는 일단 등기가 되어 있으면, 그 등기가 공시하는 권리관계가 (등기와 같이) 존재하는 것으로 추정하는 효력을 인정하고 있습니다(김동호, 2007).

이를 등기의 추정력이라고 하는데, 이처럼 부동산 물권의 경우 이미 등기를 통하여 추정력을 확보하고 있기 때문에 동산과는 상황이 많이 다르다고 하겠습니다.

그런데 여기서 문제가 되는 건, 부동산 물권의 경우에도 등기를 하지 아니하는 예외가 존재하고(예를 들어 점유라는 방법을 통해 공시되는 유치권 등), 또 미등기 부동산이라는 것도 있는데 이런 것들은 어떻게 처리할 것인가, 입니다. 이러한 경우에는 제200조를 적용하여도 되는가? 학자들은 이런 궁금증이 들었던 거죠.

이 부분에서는 학설의 다툼이 있습니다만, 간단하게 결론만 말씀드리자면 학계의 다수설은 예외적으로 등기를 요하지 않는 부동산 물권 또는 미등기 부동산의 경우에는 민법 제200조가 적용될 수 있다고 보고 있습니다(김형석, 2019). 구체적인 논거 등은 참고문헌을 참조하여 주시기 바랍니다.

오늘은 점유를 통하여 권리가 적법하다는 추정을 받을 수 있다는 사실을 공부하였습니다. 내일은 점유자와 과실에 대하여 알아보겠습니다.

*참고문헌

김동호, "부동산등기의 추정력의 본질과 효과", 「법학논총」 제27권 제1호, 2007, 46면.

김용덕 편집대표, 「주석 민법 물권1(제5판)」, 한국사법행정학회, 2019, 456-457면(김형석).

김준호, 「민법강의(제23판)」, 법문사, 2017, 577면.

박동진, 「물권법강의(제2판)」, 법문사, 2022, 150-151면.

제201조(점유자와 과실)

①선의의 점유자는 점유물의 과실을 취득한다.
②악의의 점유자는 수취한 과실을 반환하여야 하며 소비하였거나 과실로 인하여 훼손 또는 수취하지 못한 경우에는 그 과실의 대가를 보상하여야 한다.
③전항의 규정은 폭력 또는 은비에 의한 점유자에 준용한다.

제201조는 '과실'에 대하여 이야기합니다. 우리는 전에 민법 총칙에서 과실에 대해 공부한 적이 있었습니다. 과실(果實)이란 원물에서 얻어지는 이익입니다. 또한 과실의 종류에는 제101조에 따라 천연과실과 법정과실이 있다고 했습니다. 기억이 잘 안 나시는 분들은 해당 부분을 복습하고 오셔도 좋습니다.

제101조(천연과실, 법정과실) ①물건의 용법에 의하여 수취하는 산출물은 천연과실이다.
②물건의 사용대가로 받는 금전 기타의 물건은 법정과실로 한다.
제102조(과실의 취득) ①천연과실은 그 원물로부터 분리하는 때에 이를 수취할 권리자에게 속한다.
②법정과실은 수취할 권리의 존속기간일수의 비율로 취득한다.

제201조제1항은, 선의의 점유자는 그 점유물의 과실을 취득한다고 규정합니다. 원칙적으로는 점유할 권리가 없는데도 남의 물건을

점유한 사람은 그 물건에서 발생하는 과실을 취득하여서는 안됩니다. 예를 들어 명백한 남의 건물에 몰래 숨어 들어가 점유를 하고, 그 건물에서 발생하는 과실까지 챙겨간다면 괜찮겠습니까?

다만, '선의'의 점유자의 경우는 조금 사정을 봐줄 수 있는 여지가 있습니다. 선의의 점유자는 자신에게 본권이 없더라도 본권이 있는 것으로 잘못 알고 있는 사람입니다. 그래서 우리의 민법 제201조제1항은 선의로 점유한 사람은 점유물에 대한 과실수취권을 갖는다고 보는 것입니다.

물론 여기서 말하는 '선의의 점유자'는 조금 엄격하게 해석하여야 할 겁니다. 원래 안 되는 것을 되게 해주는 것이니까요.

우리의 판례는 "민법 제201조 제1항에 의하여 과실취득권이 있는 선의의 점유자란 과실취득권을 포함하는 권원(소유권, 지상권, 임차권 등)이 있다고 오신한 점유자를 말하고, 그와 같은 오신을 함에는 오신할 만한 근거가 있어야 한다"라고 하고 있습니다(대법원 1981. 8. 20. 선고 80다2587 판결).

그러니까 그냥 몰랐다, 이게 아니라 좀 더 나아가 과실을 정당하게 수취할 수 있는 권원이 있다고 착각하여야 한다는 겁니다. 그리고 착각에도 근거가 있어야 한다고 봅니다. 이러면 좀 더 요건이 까다로워집니다. 이에 대해서, 대법원이 실질적으로는 무과실을 요건으로 요구하고 있다고 해석하는 견해도 있습니다(김형석, 2019). 판

례의 입장을 지지하거나, 무과실을 요건으로 요구하는 것이 타당하다고 보는 학자들도 있으니, 자세한 내용은 참고문헌을 한번 참조해 보시기 바랍니다.

*우리가 공부한 제197조에 의하면 점유자는 '선의'가 추정이 되므로, 판례의 문장을 따라간다면 점유자는 자신이 착각하였다는 것에 대해서 정당한 근거가 있다는 것 정도를 입증하면 될 것입니다.

제197조(점유의 태양) ①점유자는 소유의 의사로 선의, 평온 및 공연하게 점유한 것으로 추정한다.
②선의의 점유자라도 본권에 관한 소에 패소한 때에는 그 소가 제기된 때로부터 악의의 점유자로 본다.

예를 들어 보겠습니다. 철수는 자기 소유의 건물이 하나 있습니다. 그런데 갑자기 사기꾼이 하나 등장해서, 부동산 등기 같은 서류를 위조해서 철수의 건물을 자기 것인 양 영희에게 팔아 버렸습니다.

영희는 아무 사정을 모르고, 단지 적법하게 자신이 건물을 매입한 것으로만 알고 있습니다. 그렇게 영희는 건물을 점유하고, 아는 친구에게 그 건물을 임대해 주고 임대료를 받아 챙겼습니다.

이 경우 영희는 실제로는 소유권이 없지만, 소유권이 있다고 착각한 선의의 점유자라고 할 수 있습니다. 따라서 제201조제1항에 따라 영희가 친구로부터 받은 임대료(과실)는 굳이 철수에게 반환할 필요는 없습니다.

아, 건물 자체는 당연히 철수에게 반환해야 합니다. 애초에 건물 소유자는 철수가 맞으니까요. 과실을 반환하지 않아도 된다고 했지 원물을 반환하지 않아도 된다고는 안 했습니다.

제201조제2항을 봅시다. 제2항에서는 악의의 점유자에 대해 말하고 있습니다. 악의의 점유자는 수취한 과실을 반환하여야 할뿐더러, 과실을 이미 소비해 버렸거나 '부주의나 실수'(과실)로 인하여 이를 훼손 또는 수취하지 못하게 된 경우에는 그 대가를 보상하여야 합니다(제2항에서는 '과실'이라는 단어가 3번 나오는데 두 번째 나오는 '과실'이라는 단어는 過失을 말합니다. 부주의나 실수로 한 것이라는 의미이니 헷갈리지 마세요).

즉 선의의 점유자와 달리 악의의 점유자는 과실수취권이 인정되지 않습니다. 선의도 아니고 악의의 점유자이니까, 이러한 내용을 규정한 이유는 심정적으로 쉽게 이해가 갈 것입니다. 심지어 제2항에서 말하는 '과실의 반환'이라고 하는 것은 이자까지 포함한 개념입니다.

우리의 판례는 "타인 소유물을 권원 없이 점유함으로써 얻은 사용이익을 반환하는 경우 민법은 선의 점유자를 보호하기 위하여 제201조 제1항을 두어 선의 점유자에게 과실수취권을 인정함에 대하

여, 이러한 보호의 필요성이 없는 악의 점유자에 관하여는 민법 제201조 제2항을 두어 과실수취권이 인정되지 않는다는 취지를 규정하는 것으로 해석되는바, 따라서 악의 수익자가 반환하여야 할 범위는 민법 제748조 제2항에 따라 정하여지는 결과 그는 받은 이익에 이자를 붙여 반환하여야 하며, 위 이자의 이행지체로 인한 지연손해금도 지급하여야 한다"라고 합니다(대법원 2003. 11. 14. 선고 2001다61869 판결).

이행지체나 지연손해금의 개념까지 여기서 공부하기는 어렵지만, 일단 악의의 점유자에게는 우리 법원이 상당히 엄격한 태도를 유지하고 있다는 정도로 이해하시고 넘어가면 되겠습니다.

*다만, 판례는 과실 중에서도 '농작물'(벼나 고추 같은 것들)에 대해서는 "적법한 경작권이 없이 타인의 토지를 경작하였더라도 그 경작한 입도가 성숙하여 독립한 물건으로서 존재를 갖추었으면 입도의 소유권은 경작자에게 귀속한다는 것이 당원의 확립된 견해이므로 이와 같은 취지에서 위 입도의 소유권이 경작자인 원고에게 있다고 한 원심판결은 정당하다고 할 것이다"라고 하여(대법원 1979. 8. 28. 선고, 79다784 판결) 상당한 강경한 태도로 경작자를 보호하고 있으므로, 농작물의 경우에는 예외적으로 악의의 점유자인 경작자라고 하더라도 과실을 반환하지 않아도 될 것입니다. 이는 특수한 예외이므로, 관심이 있으신 분들은 따로 판례를 검색해 읽어 보시기 바랍니다.

제201조제3항을 봅시다. 제3항에서는 '폭력' 또는 '은비'의 점유

자에 대해 말하고 있습니다. 앞서 공부한 개념입니다. 점유를 취득하거나 지속하는 과정에 폭력을 행사하는 것이 폭력 점유가 될 것이고, 남몰래 타인이 인식하지 못하도록 은밀하게 점유하는 것이 은비 점유가 될 것입니다.

이러한 폭력 점유 또는 은비 점유의 경우, 전항의 규정(제2항)을 준용하도록 하고 있으므로, 이들은 (악의의 점유자와 마찬가지로) 과실을 되돌려주어야 할 의무가 있습니다. 설령 선의로 점유한 사람이었다고 하더라도, 폭력이나 은비의 점유라면 악의의 점유자와 마찬가지로 취급하겠다는 것입니다.

지금까지 점유자의 과실수취권에 대해서 알아보았는데요, 이러한 제도를 둔 것에 대해서 비판하는 견해도 있습니다. '선의의 점유자'라는 요건을 엄격하게 해석한다고 하더라도 분명 (진정한) 소유자의 입장에서는 짜증 나는 일이 될 것인데요, 이에 대하여 우리 민법이 외국의 입법에 비하여 선의의 점유자이기만 하면 과실을 꿀꺽할 수 있도록 해주는 "유례없는 특혜"를 베풀고 있다는 지적도 있다고 합니다(양창수, 1992).

마지막으로 한 가지 조심할 부분이 있습니다. 오늘 공부한 선의의 점유자의 과실수취권은 만능열쇠가 아니라는 겁니다. 남의 물건에 대하여 점유를 취득하여 놓고 단지 '선의점유'라는 이유만으로 모든 것이 용서되지는 않는다는 점을 주의하여야 합니다.

설령 제201조제1항에 따라 과실을 반환할 필요가 없다고 주장하더라도, 본권에 관한 소송에서 패배하는 경우에는 그 소송이 제기된 때부터 과실수취권이 없게 됩니다(제197조제2항 참조).

또한, 점유자와 소유자 사이에 계약 관계가 있었던 이유로 점유자가 원물을 점유하였던 특수한 경우라면 제201조를 단순히 적용할 수 없고, 해당 계약 관계가 처음부터 무효였는지, 아니면 추후에 계약이 해제된 것인지 등 개별 사례를 따져서 그 계약 관계에 따라 해결하여야 할 수도 있습니다.

이러한 내용은 아직 부당이득의 법리 등을 배운 것이 아니어서 상세히 이해하고 넘어가실 필요는 없지만, 어쨌건 제201조는 선의점유이기만 하면 막 가져다 쓰라고 만들어 둔 조항은 아니라는 것을 아는 것이 중요합니다. 법률에는 다양한 법리가 있어서, A라는 법리를 쓸 수 있어 보인다고 해서 그것만 신경 써서는 안 됩니다. B라는 또 다른 법리도 적용할 수 있다면 이를 함께 고려하여야 하는 것입니다.

【심화학습】

아래에 적힌 내용은 혹시 "심화학습을 원하시는 분"들을 위해 기재된 것이니, 심화학습을 원치 않으시는 분들은 그냥 넘어가도 무방합니다. 이 부분은 부당이득, 불법행위 등의 개념을 어느 정도는 알고 있다는 전제 하에 기재된 것이라는 점을 염두에 두시면 될 듯합니다. 그리고 제201조부터 제203조까지도 이해하신 후에 읽는 것을 추천드립니다.

우리 민법에는 부당이득의 법리가 있어서, 법률상 원인 없이 타인의 재산, 노무로 이익을 얻어 타인에게 손해를 가한 경우에는 그 이익을 되돌려주도록 정하고 있습니다(제741조). 그리고 수익을 얻은 사람이 선의인지, 악의인지에 따라 그 반환의 범위를 따로 정하고 있지요(제748조).

> 제741조(부당이득의 내용) 법률상 원인없이 타인의 재산 또는 노무로 인하여 이익을 얻고 이로 인하여 타인에게 손해를 가한 자는 그 이익을 반환하여야 한다.
>
> 제748조(수익자의 반환범위) ①선의의 수익자는 그 받은 이익이 현존한 한도에서 전조의 책임이 있다.
> ②악의의 수익자는 그 받은 이익에 이자를 붙여 반환하고 손해가 있으면 이를 배상하여야 한다.

그런데 부당이득이 문제되는 사안이라고 하더라도, 원물을 반환

하여야 하는 특수한 상황에서는 제201조~제203조의 문제(점유자-회복자 간의 관계에 관한 규정)를 함께 고려하여야 하는 경우가 생길 수 있습니다(회복자의 개념 등에 관하여서는 제202조 파트를 참조하시기 바랍니다).

간단히 말씀드리자면, 제201조부터 제203조까지의 규정은 점유자의 선의와 악의(점유할 권리가 없다는 것을 알았는지, 몰랐는지)를 기준으로 하여, 소유자가 (점유할 권리가 없는) 점유자에 대하여 소유물반환청구를 했을 때 적용되는 조문들입니다. 즉, 그런 상황에서 소유자가 아닌 다른 사람이 물건을 점유하고 있는 기간 동안의 과실은 누가 가져가야 하는가(제201조), 물건이 멸실되거나 훼손되었다면 손해는 얼마나 배상하여야 하는가(제202조), 비용은 누가 부담해야 하는가(제203조)를 정하고 있는 조문인 겁니다.

*독일 민법은 점유자-회복자 관계에 관한 규정을 소유권 파트의 소유물반환청구에 이어 규정하고 있어 소유물반환청구를 전제로 하는 규정임을 명확히 하고 있습니다(김준호, 2017). 우리의 통설은 이러한 체계에 기반하여 제201조~제203조를 해석하고 있는 것입니다. 즉, 제201조부터 제203조의 조문이 적용되는 사안은 회복자가 소유권자이며, 그러한 소유권자가 자기 물건을 돌려달라고 점유자에게 청구하는 경우에 적용되는 것이고, 점유자가 별도로 점유할 권리를 갖고 있는 경우에는 적용되지 않는 것으로 보아야 합니다.

예를 들어 보겠습니다. 철수는 자신의 부동산을 영희에게 팔기로 하는 부동산 매매계약을 체결하였습니다. 그런데 철수는 추후에 자신이 중대한 착오로 계약을 체결하였다는 사실을 알게 됩니다. 그래서 착오를 이유로 매매계약을 취소합니다.

매매계약이 취소되게 되면, 영희가 철수로부터 넘겨받은 부동산은 부당이득이 됩니다. 그러나 한편으로 영희는 부동산(원물)에 대한 선의의 점유자라고 할 수 있으므로, 민법 제201조제1항이 적용될 수도 있습니다. 그러면 제748조를 적용하여야 할까요, 아니면 제201조를 적용하여야 할까요? 이것이 문제입니다.

*다만, 판례는 계약해제의 경우에는 민법 제548조의 존재를 근거로 이를 부당이득에 관한 특별규정의 성격을 가졌다고 보아, 제201조제1항의 적용을 부정하고 있습니다(지원림, 2011)(대법원 1998. 12. 23. 선고 98다43175 판결).

어느 것을 적용하는지는 매우 중요합니다. 왜냐하면 돌려주는 범위가 달라지니까요. 제748조제1항에 따르면 제아무리 선의의 점유자라고 할지라도 이익이 현존하는 한도에서 돌려주어야 하지만, 제201조제1항을 따르게 되면 선의의 점유자의 경우 현존하는 이익도 반환할 필요가 없게 됩니다(선의점유자의 과실수취권 인정).

대신에 제201조제1항에 따라 선의의 점유자로서 과실을 취득하게 되면 점유물 보존에 들인 필요비 중 '통상의 필요비'는 청구할 수 없게 되긴 합니다(제203조제1항 단서).

또한, 악의의 점유자라고 해도 차이는 있습니다. 물건이 훼손된 경우, 제748조제2항이 적용되면 과실 여부를 따지지 않고 배상을 하여야 하는데, 제201조제2항이 적용된다면 과실이 있는 경우에 책임을 지게 되므로 어느 조문을 적용할 것인지는 중요한 문제가 됩니다.

반환을 받는 사람(이것을 손실자 또는 회복자라고도 부릅니다) 입장에서는 아무래도 반환의 범위가 넓은 제748조가 적용되는 것이 유리하게 느껴질 것입니다. 반대로 점유자(부당이득자)의 입장에서는 제201조~제203조에 따른 물권적 청구권에 기하여 반환하는 경우가 더 유리하게 느껴지겠지요.

이러한 문제를 점유자-회복자 관계와 부당이득의 문제라고 하는데, 여기에 대해서는 학설이 난무(?)하고 있고, 판례 역시 논리가 복잡하여 이해하기 까다로운 측면이 있습니다.

점유자-회복자 관계 자체가 영미법계나 프랑스 민법에는 존재하지 않는 제도이며, 독일 민법에는 상세히 규정되어 있으나 이는 우리 민법과 구성, 내용이 매우 다른 데다가 우리 민법에서는 부당이득, 불법행위 등과의 관계에 대해서 명확히 하고 있지 않기 때문에 발생하는 문제라고 하겠습니다(이준현, 2011).

1. 제201조제1항 : 선의의 점유자인 경우

위의 사례(철수와 영희)와 같이 계약이 무효 또는 취소되는 경우, 부동산을 점유하고 있다가 돌려주어야 하는 입장인 영희는 과연 부동산의 사용이익도 같이 돌려줘야 하는 걸까요? 예를 들어 영희가 부동산을 사용한 기간이 3개월인데, 그 부동산이 보통 1개월에 50만원 정도 월세가 나오는 건물이라고 하면, 영희는 철수에게 부동산과 함께 150만원을 같이 반환해야 하냐는 것이지요.

학설의 논의가 있긴 한데, 통설과 판례에 따르면 대답은 No 입니다. 즉, 영희는 150만원 값어치에 해당하는 사용이익을 그냥 가질 수 있습니다(선의 점유자라는 가정 하에). 우리의 통설과 판례는 제201조제1항을 제748조제1항의 특칙으로 해석하고 있기 때문입니다(박동진, 2022).

*참고로, 계약이 무효이거나 취소된 것이 아니라 해제가 되는 경우도 있습니다(추후 공부할 계약해제권에 대한 채권법 파트 참조). 이런 경우에는 위의 사례에서처럼 제201조와 제748조 간의 관계가 아니라, 제201조와 제548조 간의 관계가 문제가 됩니다. 사안이 아예 다른 것이니 주의하시기 바랍니다. 판례는 이런 경우에는 오히려 제201조제1항의 적용을 배제하고 제548조에 따라 원상회복의무를 지는 것으로 보고 있습니다(박동진, 2022). 즉, 계약해제의 사유에 기한 것이라면 위의 사례에서 영희는 150만원을 돌려줘야 한다는 것이죠.

다만, 통설에 대해서는 별다른 근거 없이 제201조~제203조의 규정을 특칙으로 인정하고 있다는 비판이 있으며, 그 외에도 다양한 형태의 반대 의견도 유력하게 제기되고 있다는 점은 참고하시기 바랍니다.

한편, 우리 대법원은 토지매매가 착오로 취소된 사건에서, 제201조를 적용하되 "쌍무계약이 취소된 경우 선의의 매수인에게 민법 제201조가 적용되어 과실취득권이 인정되는 이상 선의의 매도인에게도 민법 제587조의 유추적용에 의하여 대금의 운용이익 내지 법정이자의 반환을 부정함이 형평에 맞는 것"이라고 하고 있는데요(대법원 1993. 5. 14. 선고 92다45025 판결).

판례가 생각한 논리는 이렇습니다. 제201조가 적용된다고 하면, 과실수취권이 있는 선의의 (토지)매수인은 이익을 돌려주지 않아도 됩니다. 그러면 토지의 매도인은? 매도인은 제201조의 적용을 받지 않지요. 따라서 원래대로 부당이득의 법리가 적용될 겁니다. 그러면 매도인은 매매대금의 운용이익이나 이자까지 매수인에게 되돌려주어야 한다는 결론이 나옵니다. 하지만 이렇게 칼같이 해석해 버리면, 매수인에게만 너무 유리하고 매도인의 입장에서는 억울한 결론이 될 수 있겠지요. 그래서 대법원은 제587조를 유추적용하여 매도인도 대금의 운용이익 등은 돌려주지 않다도 된다고 결론을 내고 있는 것입니다.

제587조(과실의 귀속, 대금의 이자) 매매계약있은 후에도 인도하지 아니한 목적물로부터 생긴 과실은 매도인에게 속한다. 매수인은 목적물의 인도를 받은 날로부터 대금의 이자를 지급하여야 한다. 그러나

대금의 지급에 대하여 기한이 있는 때에는 그러하지 아니하다.

2. 제201조제2항 : 악의의 점유자인 경우

제201조제2항은 악의의 점유자에 대한 내용인데요, 우리의 판례는 제1항에서와는 달리 "악의 점유자는 과실을 반환하여야 한다고만 규정한 민법 제201조 제2항이, 민법 제748조 제2항에 의한 악의 수익자의 이자지급의무까지 배제하는 취지는 아니기 때문에, 악의 수익자의 부당이득금 반환범위에 있어서 민법 제201조 제2항이 민법 제748조 제2항의 특칙이라거나 우선적으로 적용되는 관계를 이루는 것은 아니다."라고 판시하고 있습니다(대법원 2003. 11. 14. 선고 2001다61869 판결).

제201조(점유자와 과실)

②악의의 점유자는 수취한 과실을 반환하여야 하며 소비하였거나 과실로 인하여 훼손 또는 수취하지 못한 경우에는 그 과실의 대가를 보상하여야 한다.

제748조(수익자의 반환범위)

②악의의 수익자는 그 받은 이익에 이자를 붙여 반환하고 손해가 있으면 이를 배상하여야 한다.

대법원은 왜 이런 결론을 냈을까요? 언제는 제201조제1항은 제748조제1항의 특칙이라더니. 제2항에서는 뭔가 말을 바꾼 것처럼

보여서 짜증이 나기도 합니다.

이러한 대법원의 태도에 대해서는, 과실의 반환 여부(과실수취권)에 대해서는 제201조에 따르도록 하고, 과실을 반환하게 되는 경우(제201조제2항의 악의점유자인 경우)에는 그 반환의 범위는 제748조에 따르도록 한 것이라는 평가가 있습니다(박동진, 2022; 159면).

한편, 현재 통설은 원물반환의 경우 제201조~제203조를, 가액반환의 경우 항상 부당이득의 법리를 따라야 한다고 보고 있음에도 판례는 이와 다른 태도를 취하고 있다고 평가하기도 합니다. 나아가 제201조 이하의 조문을 제748조와 부합하게 개정할 필요가 있다고 주장하기도 합니다(백태승, 2015).

이 판결에서 대법원의 입장이 타당한 것인지에 대해서는 학자들 사이에서도 의견이 갈립니다. 각각의 입장을 여기서 모두 소개하기는 어려우므로, 참고문헌을 읽어 보시길 추천드립니다(김형석, 2019; 476-477면).

어쨌거나 대법원의 입장에 따른다면, 위의 영희와 철수의 사례에서 영희가 악의의 점유자였던 경우, 영희는 150만원에 이자를 붙여서 철수에게 돌려주어야 할 것입니다. 선의였을 때와는 아주 큰 차이가 나죠.

긴 내용을 보시느라 고생이 많으셨습니다. 그래도 우리가 앞서 공부하였던 개념을 가지고서 다른 개념을 공부하고, 때로는 개념을 확장하기도 하는 등 점차 지식의 폭이 넓어진다는 느낌을 받으실 수 있을 것입니다. 내일은 점유자의 회복자에 대한 책임을 공부하도록 하겠습니다.

*참고문헌

김용덕 편집대표, 「주석민법 물권1(제5판)」, 한국사법행정학회, 2019, 485면(김형석).

양창수, 「민법주해Ⅳ 물권(1)」, 박영사, 1992; 김용덕 편집대표, 「주석민법 물권1(제5판)」, 한국사법행정학회, 2019, 482면(김형석)에서 재인용.

김준호, 「민법강의(제23판)」, 2017, 656면.

박동진, 「물권법강의(제2판)」, 법문사, 2022, 156-157면.

백태승, "민법 제201조~제203조 점유자·회복자 관계와 부당이득반환청구권과의 관계", 연세대학교 법학연구원, 법학연구 제25권제1호, 2015, 55-58면.

이준현, "점유자-회복자 관계에 관한 민법개정 제안", 한국민사법학회, 민사법학 제53권, 2011. 3., 154면.

지원림, 「민법강의(제11판)」, 홍문사, 2013, 550면.

제202조(점유자의 회복자에 대한 책임)

점유물이 점유자의 책임있는 사유로 인하여 멸실 또는 훼손한 때에는 악의의 점유자는 그 손해의 전부를 배상하여야 하며 선의의 점유자는 이익이 현존하는 한도에서 배상하여야 한다. 소유의 의사가 없는 점유자는 선의인 경우에도 손해의 전부를 배상하여야 한다.

제202조에서는 '회복자'라는 표현이 나옵니다. 점유자는 알겠는데, 회복자는 도대체 무슨 의미일까요? 회복자는 본권, 특히 소유권에 따라 점유물을 되찾으려는 사람을 말합니다. 한 단어로 말하자면 소유권자지요.

제202조를 읽어 봅시다. 무슨 의미일까요? 일단 점유물이 점유자의 책임 있는 사유로 인하여 멸실 또는 훼손된 때에 적용되는 조문이라는 것을 알 수 있습니다.

훼손이라는 건 일부를 망가뜨리는 등 가치를 훼손하는 것이고, 멸실은 물건이 아예 없어지고 소멸해 버리는 것을 말합니다(물론, 학설에 의하면 이때의 '멸실'에는 물건을 되돌려주기 어려운 상황 등 반환이 불가능한 경우도 포함한다고 보고 있습니다).

또한 제202조에서는 명확하게 '점유자에게 책임 있는 사유로 인하여'라고 하고 있기 때문에, 점유자에게 아무런 책임이 없는 경우(예를 들어 점유자가 정말 성실히 물건을 관리하였는데도 갑자기 벼

락이 떨어져 물건이 멸실된 경우)에는 제202조에 따른 책임을 질 필요가 없습니다.

그런데 제202조의 표현이 좀 복잡합니다. 점유물이 망가지거나 하는 경우에 적용하는 건 알겠는데, '선의'의 점유자와 '악의'의 점유자를 나누어 설명하고 있고요, 또 선의인 경우에도 '소유의 의사'가 있고 없고에 따라 나누고 있습니다(제202조 단서). 이를 간단히 정리하면 아래와 같습니다.

"점유자의 책임으로 인하여 점유물이 멸실 또는 훼손되면 어떻게 하는가? '회복자'에 대해서 어느 정도까지 책임을 지면 되는가?"

1. 선의의 자주점유자: 이익이 현존하는 한도에서 배상
2. 선의의 타주점유자: 손해의 전부를 배상
3. 악의점유자: 손해의 전부를 배상

"이익이 현존하는 한도라는 게 무슨 말인가요?"

표현이 조금 까다롭기는 한데, 이익이 실제로 존재하는 범위 내에서 갚으면 된다는 말입니다. 물건의 '점유'로 인하여 얻게 된 모든 이익을 말하는 것이 아니라, 물건의 '멸실이나 훼손'을 통하여 얻게 된 이익을 말합니다(박동진, 2022).

이렇게만 설명하면 애매하니까, 예를 들어 봅시다. 철수가 남의

건물을 소유의 의사로 선의점유하고 있다고 해봅시다. 철수는 그 건물이 자기 건물이라고 착각하고 있습니다. 그런데 건물 한 귀퉁이에 있는 테라스에서 철수가 담배를 피우다가 그만 실수로 화재를 내고 말았습니다. 그 결과 건물의 테라스 부분이 홀랑 타 없어져 버렸습니다.

이후 진정한 소유자가 나타나 철수에게 건물을 되돌려 달라고 할 경우 철수는 그냥 테라스가 없는 상태로 돌려주면 됩니다. 철수가 화재로 '이익'을 얻은 건 없으니까요. 현존하는 이익이 없는 겁니다. 건물의 진짜 소유자 입장에서는 말도 안 된다고 생각하실 수 있겠지만 적어도 제202조에 따르면 그렇습니다(김용담, 2011). 다만 철수가 테라스를 철거하여 그 자재를 팔아 치우는 등 재산상 이득을 본 경우라면 제202조에 따라 그 가액을 반환하여야 합니다.

결국 제202조는 선의의 점유자라고 하더라도 '타주점유'인 경우에는 사실상 악의의 점유자와 같게 취급하고, 자주점유자는 그 책임의 한도를 제한하는 '특급 대우'를 해준다는 것을 알 수 있습니다. 그러면 왜 하필 이렇게 '소유의 의사'가 있는 사람을 좀 더 우대해 주는 것일까요?

그건 선의의 자주점유자의 경우 정말로 그 물건을 자신의 것이라고 착각하고 소유하려고 하는 것이어서 상대적으로 물건을 막 다룰 가능성이 높기 때문입니다.

내 물건이라고 생각하면 마음대로 훼손해 버리는 것도 자기 마음이니까 어려운 일이 아니고, 물건을 없애 버리기도 쉽습니다. 그래서 선의의 자주점유자의 경우는 좀 더 여유롭게 봐주도록 한 것입니다.

반대로 악의의 점유자나 타주점유자는 자기 물건이 아니라는 사실을 뻔히 아는 사람일 것이고, 그런 만큼 물건을 더 소중히 다뤄야 할 의무가 있습니다. 의무가 있는 만큼, 쉽게 생각하면 봐줄 여지가 별로 없는 사람들이라는 것이지요.

애초에 선의이면서 자주점유를 한다는 요건 자체가 현실적으로 상당히 충족하기 어려운 요건이라는 점을 고려하면, 이런 정도의 차별을 두는 것은 타당할지도 모릅니다.

본래 민법에는 불법행위에 대한 손해배상책임이 있어서(제750조), 점유자가 책임 있는 사유로 점유물을 멸실, 훼손시킨 경우에는 원칙적으로 동 조항에 따라서 손해배상책임을 져야 합니다.

> 제750조(불법행위의 내용) 고의 또는 과실로 인한 위법행위로 타인에게 손해를 가한 자는 그 손해를 배상할 책임이 있다.

그래서 제750조와 제202조의 관계를 놓고 학설의 논의가 있었습

니다. 다수설과 판례의 경우에는 대체로 양자의 경합(競合)을 인정하며 두 권리를 선택적으로 행사할 수 있다고 보는 것 같기는 합니다.

다만, 판례와 같이 두 조문에 따른 경합을 인정하게 되면, 제202조는 의미를 잃게 되므로 제750조와 제202조의 책임을 함께 물을 수는 없고, 따라서 오늘 공부한 제202조는 손해배상범위에 관하여 제750조에 대한 특칙이라 보아야 한다는 견해도 유력합니다(송덕수, 2019; 지원림, 2013). 좀 더 상세한 논의를 원하시는 분들은 참고문헌을 참조하시기 바랍니다.

만약 제202조를 따른다고 해도, 타주점유이면서 선의점유이거나, 악의점유인 경우는 그냥 손해 전부를 배상하면 되어서 제750조와 큰 차이가 없기는 합니다. 결과적으로 선의의 자주점유자에게는 제202조의 규정이 유리하겠지만, 악의의 자주점유자나 타주점유자에게는 배상의 요건이나 배상범위에 있어서 제202조나 제750조나 차이가 없다는 거지요(이준현, 2011).

오늘은 책임 있는 사유로 물건을 멸실 또는 훼손한 경우에 점유자가 회복자에게 어떤 책임을 져야 하는가, 그 범위에 대해서 공부하였습니다.

내일은 점유자의 상환청구권에 대해 알아보겠습니다.

*참고문헌

김용담, 「주석민법 물권1(제4판)」, 한국사법행정학회, 2011, 380면.

박동진, 「물권법강의(제2판)」, 법문사, 2022, 160면.

송덕수, 「물권법(제4판)」, 박영사, 2019, 257면.

이준현, “점유자-회복자 관계에 관한 민법개정 제안”, 「민사법학」 제53권, 2011, 180면.

지원림, 「민법강의(제11판)」, 홍문사, 2013, 552면.

제203조(점유자의 상환청구권)

①점유자가 점유물을 반환할 때에는 회복자에 대하여 점유물을 보존하기 위하여 지출한 금액 기타 필요비의 상환을 청구할 수 있다. 그러나 점유자가 과실을 취득한 경우에는 통상의 필요비는 청구하지 못한다.
②점유자가 점유물을 개량하기 위하여 지출한 금액 기타 유익비에 관하여는 그 가액의 증가가 현존한 경우에 한하여 회복자의 선택에 좇아 그 지출금액이나 증가액의 상환을 청구할 수 있다.
③전항의 경우에 법원은 회복자의 청구에 의하여 상당한 상환기간을 허여할 수 있다.

우리는 제201조를 공부하면서 점유자가 '과실'을 어떻게 가져갈 수 있는지에 대해 공부했고, 어제 제202조를 공부하면서는 만약 물건에 멸실이나 훼손이 생기면 그때에는 어떤 책임이 발생할 수 있는지를 공부하였습니다.

오늘 공부할 제203조는, 점유자가 '비용을 지출한 경우'에는 어떻게 해야 하느냐를 다루고 있습니다. 물건을 점유하다가 보면 비용을 지출할 경우가 분명히 있습니다. 사실 볼펜 같은 작은 물건을 점유하면 크게 돈 쓸 일이 없겠지만, 예를 들어 오피스텔 같은 건물을 점유한다고 생각해 보세요. 보일러가 고장 나서 수리를 해야 할 수도 있고, 천장에서 물이 새어 보수를 해야 할 수도 있습니다. 그게 다 돈입니다.

점유자가 돈을 쓰기는 썼는데, 그 후에 진정한 소유자에게 물건을 되돌려줘야 할 때. 그때 그 돈을 과연 소유자에게서 받아낼 수 있는 것이냐? 이것이 바로 제203조를 통해 해결할 수 있는 질문입니다.

그런데 점유자가 물건을 점유하는 동안 지출할 수 있는 비용의 종류에는 크게 2가지가 있다고 합니다. 그것이 바로 필요비와 유익비입니다. 먼저 필요비란, 물건의 상태를 유지하고 그 물건에 대한 권리를 보존하기 위하여 당연히 지출해야 하는 비용을 말합니다(경수근 외, 2009). 예를 들어 물건에 대한 수선비나 수리비, 동물을 사육하는데 필요한 사료값 등이 이에 해당할 것입니다.

우리의 판례는 "기계의 점유자가 그 기계장치를 계속 사용함에 따라 마모되거나 손상된 부품을 교체하거나 수리하는 데에 소요된 비용은 통상의 필요비에 해당"한다고 본 바 있습니다(대법원 1996. 7. 12. 선고 95다41161,41178 판결).

반면 유익비란, 점유자가 점유물을 개량하기 위하여 지출한 금액 등을 포함한 비용으로, 물건의 효용을 증진시켜 그 재산적 가치를 증가시킨 비용을 뜻합니다(김형석, 2019). 예를 들어 건물을 개조하여 그 객관적 가치를 온전히 증가시켰다면 그에 사용된 비용은 유익비로 인정받을 수도 있습니다.

다만, 판례는 카페 영업을 하기 위한 공사를 하고, 또 카페의 규모를 확장하면서 내부시설공사를 하고, 또는 창고 지붕의 보수공사를

하고 공사비를 지출한 사례에서, 창고 지붕의 보수공사는 통상의 관리비에 불과하고, 점포의 내부시설공사는 카페를 운영하기 위한 필요에 의하여 행하여진 것일 뿐 그로 인하여 이 사건 점포의 객관적 가치가 증가한 것은 아니라고 보아 유익비로 인정을 하지 않은 적도 있기에(대법원 1991. 10. 8. 선고 91다8029 판결), 실제 어떠한 지출이 유익비로 인정되는지 아닐지는 칼같이 잘라서 정하기는 어렵습니다. 사안에 따라 구체적으로 살펴보아야 할 것입니다.

어쨌건 필요비와 유익비는 구별되는 개념이고, 제203조는 이에 기초하여 논리를 전개하고 있습니다. 먼저 제1항에 따르면, 점유자가 소유자로부터 "내 물건을 돌려줘!"라는 요구를 받고 점유물을 돌려줄 때, 회복자(소유권자)에 대하여 필요비 쓴 것을 되돌려달라고 청구할 수 있습니다. 다만, 제1항 단서에 따르면 점유자가 과실을 가져간 경우에는 '통상의 필요비'는 청구하지 못한다고 합니다.

'통상의 필요비'는 또 뭘까요? 필요비는 또다시 2가지로 나눌 수 있습니다. '통상의 필요비'가 있고, 그렇지 않은 필요비가 있습니다. 이를 임시비 또는 특별필요비라고 부르는 경우도 있습니다. '통상(通常)'이라는 단어는 '보통 그러하다'라는 의미를 담고 있지요. 통상의 필요비란, 평상적인 보존 또는 관리에 필요한 비용이며, 그 외의 필요비란 특별한 사정에 의하여 발생한 보수 및 관리비용을 의미합니다(박동진, 2022).

예를 들어 자동차와 같은 정밀한 기계는 정기적인 점검을 필요로 하고, 제대로 관리되지 않으면 금방 망가질 것입니다. 정기 점검에 드는 비용은 통상의 필요비라고 볼 수 있을 것입니다.

하지만 자동차를 운행하던 도중 갑작스러운 초대형 우박(?)이 떨어져서 자동차 네트가 박살난 경우, 이를 수리하는 비용 자체는 필요비라고 할 수 있겠지만 '통상'의 필요비라고 보기는 어렵겠지요.

그런데 제203조제1항 단서는 점유자가 만약 과실을 가져간 경우라면, 필요비 전부가 아니라 필요비 중에서도 통상의 필요비를 제외한 부분만 회복자에게 청구할 수 있도록 제한하고 있습니다.

왜 이런 규정을 두고 있느냐? 왜냐하면 물건을 점유하면서 그로부터 과실을 가져간 것이니까요. 그렇다면 그 물건을 보존 및 관리하는 데에 들어가는 '통상적인' 비용 정도는 점유자가 부담하여도 된다고 볼 수 있기 때문입니다.

여기서 한 가지 소개하자면, 우리 대법원은 "위 규정을 체계적으로 해석하면 민법 제203조 제1항 단서에서 말하는 '점유자가 과실을 취득한 경우'란 점유자가 선의의 점유자로서 민법 제201조 제1항에 따라 과실수취권을 보유하고 있는 경우를 뜻한다고 보아야 한다. 선의의 점유자는 과실을 수취하므로 물건의 용익과 밀접한 관련을 가지는 비용인 통상의 필요비를 스스로 부담하는 것이 타당하기 때문이다. 따라서 과실수취권이 없는 악의의 점유자에 대해서는 위 단서 규정이 적용되지 않는다."라고 합니다(대법원 2021. 4. 29. 선고 2018다261889 판결).

즉, 대법원은 선의점유자는 과실수취권이 있는 대신 통상의 필요비는 청구하지 못하니까, 반대로 악의점유자는 과실수취권이 없는 대신 통상의 필요비도 청구할 수 있다고 보는 것입니다(박동진, 2022). 악의점유자에게 그런 것을 인정해줄 필요가 있으냐고 생각하실 수도 있는데, 통상의 필요비는 원래대로라면 소유권자가 지출하여야 할 당연한 비용이라고 할 수 있으므로 그렇게 타당한 결론이라고 보입니다.

이제 제2항을 봅시다. 제2항은 유익비에 관한 내용입니다. 점유자가 지출한 유익비는 그 가액의 증가가 현존한 경우에 한하여 청구할 수 있습니다. 그런데 유익비는 필요비와 달리 물건의 객관적인 가치를 증가시킨 것이라는 특성이 있어, 청구의 방법은 2가지로 나뉠 수 있습니다.

첫 번째는 실제로 지출한 비용 자체를 청구하는 방법입니다. 예를 들어 건물을 증축하여 건물의 재산적 가치를 증가시킨 경우에, 증축에 들어간 비용을 청구할 수 있습니다.

또 다른 방법은 증축으로 인하여 늘어난 재산적 가치의 가액을 청구하는 것입니다. 건물의 증축으로 인해서 건물의 가치가 2천만 원만큼 증가하였다면, 그만큼을 청구하는 것이지요.

제2항에 따르면 이 2가지 방법 중 무엇을 고를 것인지는 점유자

가 아니라 회복자에게 달려 있습니다. 따라서 회복자의 입장에서는 2가지 중에 무엇이 더 싸게 먹히는지(?) 잘 계산해서 골라야 할 겁니다.

다만 가액의 증가가 현존하였는지를 판단하는 '시점'에 대해서는 학설의 다툼이 있습니다. 왜냐하면 재산이라는 게 가치가 항상 일정한 것은 아니잖아요. 건물이 오늘은 2억 원짜리였지만, 내일은 1억 원이 될 수도 있는 겁니다. 그러니까 어느 시점에 가치를 평가하느냐에 따라 큰 차이가 발생할 수 있습니다.

판례는 이러한 시점의 문제에 대하여 "점유자는 회복자로부터 점유물의 반환을 청구받거나 회복자에게 점유물을 반환한 때에 비로소 회복자에 대하여 민법 제203조 제2항 소정의 유익비상환청구권이 발생한다고 볼 것"이라고 하여 회복자가 점유물의 반환을 요구하거나, 점유자가 점유물을 반환하는 시점에 상환청구권이 발생한다고 보고 있습니다(대법원 1993. 12. 28. 선고 93다30471,93다30488 판결). 상세한 학설의 다툼을 알고 싶으신 분들은 별도로 물권법 교과서를 참조하시기 바랍니다.

제3항에서는, (제2항에 따라) 회복자가 유익비를 점유자에게 돌려주어야 하는 경우 법원이 회복자의 청구에 따라 상환기간을 허여할 수 있다고 합니다.

또 이상한 단어가 나왔습니다. '허여(許與)'란 '허락할 허'에 '줄

여'의 한자를 쓰며, 대략 '허락해 준다' 정도의 뜻입니다. 일상에서는 거의 안 쓰는 단어여서, 2019년 정부가 제출한 민법 개정안(의안번호 2021928)에서는 "상환 기간을 정해 줄 수 있다" 정도로 바꾸자는 내용이 담겨 있습니다.

사실 제3항은 유익비에 기한 유치권(제320조제1항 관련)을 인정하지 못하게 하는 효과가 있어 그 부분과 함께 공부하면 좋습니다. 회복자가 제203조제3항에 따라 법원으로부터 상당한 기간을 허여받으면, 그 기간 동안은 유치권이 부정되기 때문입니다(박동진, 2022: 167면). 하지만 유치권에 대해서는 추후에 상세하게 다룰 예정이므로 여기서는 법원이 기간을 정해 줄 수 있다는 정도로만 알고 넘어가도록 하겠습니다.

지금까지 제201조부터 제203조까지 3개의 조문을 공부하였는데요, 우리의 통설은 어제 공부한 제201조와 제202조, 제203조의 3개 조문은 기본적으로 소유물반환청구권에 기하여 (점유자에게) 물건을 되돌려달라고 하는 상황에 적용되는 것으로 보고 있습니다. 즉, 당사자 간에 임대차 등 별도의 법률관계가 이미 존재하고 있었던 경우라면, 제201조~제203조의 규정을 적용하여서는 안 되고 임대차에 대한 민법이나 특별법의 조문을 적용하여야 할 것입니다(김형석, 2019: 467-469면).

*아직 소유물반환청구권을 상세히 배운 것은 아니니, 여기서는 그냥 소유자가 물건을 되찾으려고 할 때 적용된다는 정도로 이해하면 되겠습니다.

그런데 사실 소유권에 관련된 규정이면 이 3개 조문은 '점유권'의 장(물권편 제2장)이 아니라 '소유권'의 장(물권편 제3장)에 있어야 맞을 것 같긴 합니다. 일단 우리 민법은 이 3개의 조문을 점유권의 효력의 일부로 보아 점유권에 관한 장에서 다루고 있는 듯합니다.

그러나 이런 위치에도 불구하고, 이 조문들은 소유물반환관계를 전제로 해서 그에 뒤따르는 문제들을 해결하기 위한 조문으로 이해하여야 하며, 따라서 점유자가 권원 없이 물건을 점유하고 있는 경우에만 적용하여야 한다는 것이 학계의 해석입니다(송덕수, 2019).

*예를 들어 점유자에게 본권이 있는 경우라면 제203조가 적용될 여지는 없습니다. 점유자에게 전세권이 있다면 민법 제310조에 따른 상환청구권이 인정될 거고요, 임차권이 있다면 제626조에 따른 상환청구권이 인정되고, 유치권이 있다면 제325조에 따라 상환청구권이 인정될 겁니다. 각각 본권이 무엇이냐에 따라 다른 법률 조문에서 규율하고 있기 때문이지요.

정리하자면 어떤 사람이, 남의 물건을 소유권 등 본권이 없는데도 불구하고 점유하고 있는 경우, 본권을 가진 사람이 그 점유자에게 "물건을 되돌려달라"라고 하면서 시작되는 문제점들을 규율하기 위한 것이 바로 제201조, 제202조, 제203조라는 것이지요.

"점유할 때 나온 천연과실, 법정과실 같은 것은 내가 꿀꺽 해도 돼?" → 점유자의 이 질문에 대한 대답은 제201조,

"지금 돌려달라는 그 물건, 내가 갖고 있다가 그만 태워 먹었는데 얼마를 배상해 주면 돼?" → 점유자의 이 질문에 대한 대답은 제202조,

"네 물건이니까 돌려주긴 하겠는데... 이 물건 보관하느라 내가 돈 좀 많이 썼는데 당신도 좀 비용을 보전해 줘야 하지 않아?" → 점유자의 이 질문에 대한 대답은 제203조를 보면 해결할 수 있는 것입니다.

이와 같이 조문 자체를 공부하는 것도 좋지만, 해당 조문들이 실제 어떤 사례에 적용되는 것인지, 어떤 의미가 있는 것인지 이해하는 것도 중요하므로 참고하시기 바랍니다.

다만, 앞서 제201조 파트에서도 잠깐 말씀드렸지만 이러한 규정들은 다소 불합리한 부분도 담고 있기 때문에, 가능하다면 적용되는 범위를 좁혀서 해석하는 것이 타당하고, 만약 점유자에게 계약상의 반환의무나 원상회복의무 같은 것이 존재하는 때에는 제201조부터 제203조까지는 적용되지 않는 것으로 엄격하게 보아야 한다는 견해도 유력합니다(송덕수, 2019).

오늘은 필요비와 유익의 개념, 그리고 점유자가 행사할 수 있는 비용상환청구권이 어떻게 구성되어 있는지 살펴보았습니다. 내일

은 점유의 회수에 대해 알아보겠습니다.

*참고문헌

경수근·신영한·이기욱, 「민법주석대전(1)」, 법률미디어, 2009, 988면.

김용덕 편집대표, 「주석민법 물권1(제5판)」, 한국사법행정학회, 2019, 502면(김형석).

김준호, 「민법강의(제23판)」, 법문사, 2017, 657면.

박동진, 「물권법강의(제2판)」, 법문사, 2022, 162-163면.

송덕수, 「물권법(제4판)」, 박영사, 2019, 253-254면.

지원림, 「민법강의(제11판)」, 홍문사, 2013, 554면.

제204조(점유의 회수)

①점유자가 점유의 침탈을 당한 때에는 그 물건의 반환 및 손해의 배상을 청구할 수 있다.
②전항의 청구권은 침탈자의 특별승계인에 대하여는 행사하지 못한다. 그러나 승계인이 악의인 때에는 그러하지 아니하다.
③제1항의 청구권은 침탈을 당한 날로부터 1년내에 행사하여야 한다.

자, 우리는 지금까지 점유권에 대해 열심히 공부해 왔지만, 정작 '점유권'이라는 것을 가지면 어떤 좋은 점이 있는지는 별로 이야기하지 않았습니다. 지금까지 알아본 것 중에 점유권이 있으면 좋은 점은 기껏해야 '권리 적법이 추정'된다는 정도? 뿐입니다(제200조).

제200조(권리의 적법의 추정) 점유자가 점유물에 대하여 행사하는 권리는 적법하게 보유한 것으로 추정한다.

그래서 오늘부터는 좀 더 본격적으로 점유권을 가지면 좋은 일이 무엇인지 알아보도록 할 겁니다. 시작합시다.

제204조제1항은 점유자가 점유를 침탈(표현이 어려운데, 빼앗겼다, 정도로 이해하시면 되겠습니다)당하였을 때 그 물건을 되돌려달라고 하면서 손해를 배상할 것을 요구할 수 있다는 것입니다.

특히 점유를 빼앗겼을 때 다시 물건을 되돌려 달라고 청구할 수 있는 권리를 점유회수청구권(점유물반환청구권)이라고 부릅니다.

결국 제204조제1항에서는 점유물반환청구권과 손해배상청구권의 2가지 권리를 점유자에게 인정하여 주고 있습니다(지난번 공부한 제202조와는 달리 자주점유인지를 따지지 않습니다). 이처럼 2개의 권리를 하나의 조문에서 규정하고 있는 이유는, 보통 점유를 침해당하는 경우 손해가 발생하게 마련이어서 이를 편의상 같이 정하여 놓은 것이라고 합니다. 그러므로 일단 하나의 조문 안에 같이 들어 있기는 하지만, 그 성립요건과 효과에 대해서는 양자를 따로 판단하여야 한다고 봅니다(김형석, 2019). 손해배상청구권에 대해서는 나중에 손해배상 파트에서 공부할 것이니 여기서는 따로 다루지 않겠습니다.

*채권편까지 공부하지 않았기 때문에 여기서 참고로만 말씀드리면, 물권적 청구권인 점유보호청구권과 채권인 (불법행위에 의한) 손해배상청구권은 각각 별개의 독립된 법률요건 및 법률효과로서 인정되는 것임에 주의하여야 합니다. 손해배상청구권은 점유보호청구권의 내용이 아니고 불법행위에 기인하는 채권적 권리이므로, 점유물의 침탈자에게 손해배상책임이 인정되기 위해서는 점유자에게 귀속된 정당한 법익의 침해로 인하여 손해가 발생하여야 하고, 귀책사유가 존재하여야 하며, 행위의 위법성과 인과관계 등이 존재하여야 합니다. 즉 '당연히' 인정되는 것은 아닌 거지요. 따라서 입법론적으로 관련규정에서 손해배상부분을 삭제하고, 나머지 문제는 부당이득 및 불법행위에 관한 일

반 법리에 따라 개별적으로 해결하는 방식이 보다 적절할 것이라는 견해도 있습니다(김성욱, 2020).

그런데, 제204조제1항에서 말하는 '침탈'은 당사자의 의사에 반하여 점유를 잃게 만드는 것을 의미하는 것이어서 해석에 주의할 필요가 있습니다.

예를 들어 볼까요? 철수가 볼펜을 점유하고 있다고 합시다. 그런데 영희가 철수에게 사기를 쳐서 그 볼펜을 자신에게 주면 자기가 10배의 가격에 팔아 주겠다고 했습니다. 철수는 그 말을 믿고 볼펜을 영희에게 넘겼습니다.

이 경우 볼펜의 점유가 철수에게서 영희로 넘어간 것은 맞지만, 철수의 '의사'에 반하여서 점유가 이전된 것이 아니라 철수가 자기 손으로 직접 볼펜을 영희에게 준 것이기 때문에 제204조제1항에 따른 '침탈'에 해당하지는 않습니다.

판례 역시 "사기의 의사표시에 의해 건물을 명도해 준 것이라면 건물의 점유를 침탈당한 것이 아니므로 피해자는 점유회수의 소권을 가진다고 할 수 없다"라고 하여 같은 입장입니다(대법원 1992. 2. 28. 선고 91다17443 판결).

또한, 우리의 판례는 "직접점유자가 임의로 점유를 타에 양도한 경우에는 점유이전이 간접점유자의 의사에 반한다 하더라도 간접점유자의 점유가 침탈된 경우에 해당하지 않는다."라고 하여(대법원 1993. 3. 9. 선고 92다5300 판결), '침탈'의 판단은 직접점유자를 기준으로 해야 한다고 보고 있습니다.

제2항을 봅시다. 이건 문장이 좀 더 까다롭습니다. '특별승계인'에 대하여는 청구권을 행사하지 못하는데, 제2항 단서에 의하면 승계인이 악의인 때에는 그러하지 아니하다(청구권을 행사할 수 있다)라고 합니다.

즉, 제2항을 달리 쓰면 '선의의 특별승계인에 대해서는 점유물반환청구권을 행사할 수 없고, 악의의 특별승계인이나 포괄승계인에게는 행사할 수 있다'라는 뜻입니다.

특별승계인의 개념에 대해서는 총칙에서 언급한 적이 있었습니다. '민법 총칙' 편 제2권에서 제169조를 설명하면서 알아보았지요.

물론 거기서는 '특정승계'라는 표현을 쓰기는 했는데, 특정승계나 특별승계나 같은 뜻으로 사용됩니다. 기억이 잘 안 나시는 부분은 총칙의 제169조 파트를 복습하고 오셔도 좋겠습니다.

제169조(시효중단의 효력) 시효의 중단은 당사자 및 그 승계인간에만 효력이 있다.

어쨌건 특정승계인(특별승계인)은 포괄승계(예: 상속)가 아닌 특정한 원인(예; 매매, 증여)에 의하여 권리와 의무를 이어받은 사람입

니다.

예를 들어 보도록 하겠습니다. 철수는 볼펜을 점유하고 있습니다. 그런데 나깡패라는 악당이 나타나서, 철수의 볼펜을 강제로 빼앗아 점유를 침탈하였습니다. 철수는 억울하게 볼펜의 점유를 빼앗긴 것입니다.

나깡패는 볼펜을 가지고 벼룩시장에 가서, 나착함이라는 친구에게 그 볼펜을 자신의 것인 양 팔았습니다(매매). 나착함은 그 볼펜이 원래 철수가 점유하고 있었던 것이라는 사정을 전혀 알지 못합니다.

이 사례에서 나착함이 바로 '선의의 특별승계인'이라고 할 수 있고, 제2항에 따르면 철수는 나착함에게 점유물반환청구권을 행사할 수 없습니다.

이러한 규정을 두고 있는 이유는, 사정을 모르던 선의의 특별승계인에게까지 물건을 다시 되찾아 올 수 있도록 하는 것은 가혹하다고 보기 때문입니다.

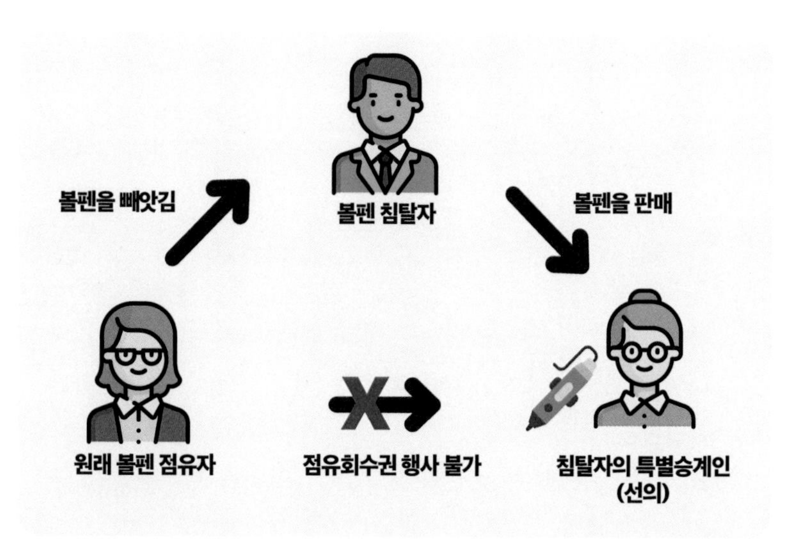

제204조제3항은 제1항의 청구권을 침탈을 '당한 날'부터 1년 이내에 행사하도록 하고 있는데요, 학설은 이를 제척기간으로 보아 해당 기간이 경과하게 되면 권리가 소멸한다고 해석하고 있습니다.

오늘은 점유권을 가지고 있으면 무엇이 좋은지 본격적으로 알아보았습니다. 제200조(권리의 적법의 추정)에서도 좋은 점을 알아보

았고, 오늘 공부한 바에 따르면 점유물반환청구권 등이 인정되는 또 다른 효과가 있다는 것을 알게 되셨을 겁니다.

그런데 여기까지 논의하다 보면, 이런 질문을 하는 경우가 있습니다. "만약 위 사례에서, 나깡패가 철수에게 볼펜을 빼앗았는데 분을 삭히지 못한 철수가 나중에 나깡패를 찾아가 그걸 다시 강제로 빼앗아 오면, 나깡패가 오히려 점유물반환청구권을 쓸 수 있나요?"

조금 유치한 질문 같은데 법학에서는 나름대로 의미가 있는 내용입니다. 실제로 이와 같은 경우를 상호침탈(相互侵奪)이라고 하는데, 학계에서도 나깡패에게 점유물반환청구권을 인정해 주는 것이 맞는 것인지, 찬반 양론이 나뉘고 있습니다.

*원래는 제209조에 자력구제에 관한 내용이 함께 논의되어야 하는데, 여기서는 제20조에 따른 자력구제 규정과는 무관한 상황(해당 조문이 적용되지 않는 상황)이라고 가정하겠습니다.

사실 원칙적으로 생각해 보면 제204조에 따른 요건을 나깡패도 충족합니다. 나깡패가 점유하던 것을 그 의사에 반하여 철수가 빼앗았고(점유침탈), 본권이 있는지 여부는 요건에 없으니 상관없고요, 타주점유나 간접점유 여부도 제204조에 말이 없으니 요건이라고 보기 어렵습니다. 그러니까 엄격하게만 따지면 나깡패도 철수에게 점유물반환청구권을 쓸 수 있어야 합니다.

그러나 우리의 다수설은 부정설의 입장을 취하고 있습니다(지원림, 2013). 설령 나깡패가 점유물반환청구권을 써서 볼펜을 다시 가져간다 하더라도(깡패가 주먹이 아니라 고상하게 청구권을 사용한다는 것이 좀 이상하긴 합니다만), 어차피 철수는 볼펜의 진정한 소유자로서 소유권에 반환청구 등이 가능하므로 괜히 소송전만 두 번 벌이게 되는 비효율이 발생하게 된다는 겁니다. 어차피 진정한 소유자가 철수라면, 굳이 소송을 서로 주거니 받거니 할 필요가 없다는 거죠.

다만, 이러한 다수설의 견해는 철수의 입장에서 자력구제(自力救濟, 법률 절차를 따르지 않고 스스로의 힘으로 문제를 해결하는 것)를 원칙적으로 허용해 주는 것으로서, 자력구제를 제한하는 민법의 취지에 어긋나기 때문에 부적절하다는 의견도 있습니다(송덕수, 2019).

한편, 고등법원 판결 중에는 "원칙적으로 점유물반환청구는 원고가 목적물을 점유하였다가 피고에 의하여 이를 침탈당하였다는 사실을 주장·증명하면 족하고 그 목적물에 대한 점유가 본권에 기한 것이라는 점은 주장·증명할 필요가 없으며(대법원 2012. 3. 29. 선고 2010다2459 판결 참조), 점유회수의 청구에 대하여 점유침탈자가 점유물에 대한 본권이 있다는 주장으로 점유회수를 배척할 수는 없다(대법원 2010. 7. 15. 선고 2010다18294 판결 참조). 그러나 이러한 논리를 아무런 권원이 없음을 알면서도 타인의 물건을 무단으로 점유한 불법점유자(이는 선의로 점유를 개시하였다가 점유개시의 원인이 되는 계약의 무효 등으로 인하여 종국적으로는 불법점유자로 판단되는 점유자와는 구별해야 할 것이다)의 점유를 정당한 권리자가 침탈한 소위 상호침탈의 경우에까지 적용하는 것은 신의성실의 원칙이나 선량한 풍속 등을 준칙으로 삼아 평균인의 보편적 도의관념을 존중하고자 하는 우리 민법의 태도에 부합하지 아니할 뿐 아니라, 불법점유자의 점유를 전소에서 인정하더라도 정당한 권리자가 후소를 제기하는 경우 불법점유자는 다시 그 점유를 정당한 권리자에게 반환해야 하는 결과 전소는 무익한 것이 된다는 점에서 소송경제에도 반하는 것으로 보이는바, 자기에게 권원이 없음을 알고도 타인의 물건을 무단히 점유하는 자는 그 점유를 침탈한 정당한 권리자를 상대로 하여서는 점유물반환청구권을 행사할 수 없다고 해석함이 타당하다."라고 판시한 사례가 있으니(대구고등법원 2016. 6. 22. 선고 2015나23230 판결), 참고삼아 심심할 때 한번 읽어 보시면 좋을 듯합니다.

점유물반환청구에 대한 판례의 태도와 정당한 권리자에 대한 불법점유자의 점유물반환청구권을 부정하는 논리적 근거를 상세히 제시한 판결문이어서 도움이 될 것입니다.

내일은 점유의 보유와 점유물방해제거청구권에 대해 알아보겠습니다.

*참고문헌

김성욱, “현행 민법규정의 적용 및 해석과 관련한 몇 가지 법적 문제 -총칙 및 물권규정을 중심으로-”, 「재산법연구」 제37권 제3호, 2020, 82면.

김용덕 편집대표, 「주석민법 물권1(제5판)」, 한국사법행정학회, 2019, 515면(김형석).

송덕수, 「물권법(제4판)」, 박영사, 2019, 265면.

지원림, 「민법강의(제11판)」, 홍문사, 2013, 557면.

제205조(점유의 보유)

①점유자가 점유의 방해를 받은 때에는 그 방해의 제거 및 손해의 배상을 청구할 수 있다.
②전항의 청구권은 방해가 종료한 날로부터 1년내에 행사하여야 한다.
③공사로 인하여 점유의 방해를 받은 경우에는 공사착수후 1년을 경과하거나 그 공사가 완성한 때에는 방해의 제거를 청구하지 못한다.

점유권을 가지면 좋은 점을 오늘 또 하나 배우겠습니다. 제205조 제1항을 봅시다.

점유자가 점유의 '방해'를 받은 때에는, 그 방해의 제거와 손해배상을 청구할 수 있습니다. '방해'는 어제 배운 '침탈'과 어떻게 다른 것일까요?

판례는 이에 대하여 "점유권에 의한 방해배제청구권(점유보유청구권)은 물건자체에 대한 사실상의 지배상태를 점유침탈 이외의 방법으로 침해하는 방해행위가 있는 경우에 성립되는 것"이라고 하고 있습니다(대법원 1987. 6. 9. 선고 86다카2942 판결). 즉, 침탈 아닌 다른 방법으로 점유를 훼방 놓는 거지요.

특히 제1항에서 점유의 '방해'에 대하여 그 제거를 요청할 수 있는 권리를 점유방해제거청구권이라고 합니다. 어제 공부한 점유물반환청구권과 비교하여 기억해 두시면 좋을 듯합니다.

점유물반환청구권이 동산에 대해서 주로 널리 사용되는 것에 비하여, 점유방해제거청구권은 현실에서 부동산의 경우에 자주 사용됩니다. 꼭 부동산에만 적용해야 한다는 것은 아니지만, 대체로 그렇다는 것입니다.

예를 들어 보겠습니다. 철수는 자신의 토지에 텃밭을 일구고 점유하고 있었습니다. 그런데 어느 날 나깡패라는 사람이 자신이 몰던 트랙터가 고장 났다고 하면서 고장 난 트랙터를 철수의 토지 한가운데에 버렸습니다.

이 경우 나깡패는 철수의 토지 점유를 침탈한 것은 아닙니다. 그러나 철수는 고장 난 트랙터가 자기 땅 한가운데 박혀 있는 바람에 자신의 점유를 방해받고 있다고 할 수 있습니다. 따라서 철수는 나깡패에게 점유방해제거청구권을 행사할 수 있고, 만약 그로 인하여 손해가 있다면 손해배상청구도 할 수 있습니다.

제2항은 제1항에 따른 청구권의 제척기간(1년)을 말하고 있습니다. 그런데 '방해'의 경우 어제 공부한 침탈과 달리 그 방해의 기간이 상당히 길어질 수 있기 때문에, '방해가 종료된 날'이라는 표현을 주목해서 볼 필요가 있습니다.

생각해 보세요. 위의 사례에서 나깡패가 몇 달 동안 트랙터를 방치해 두다가 결국 치워 주었다고 합시다. 그러면 그 날이 '방해가 종

료된 날'이므로, 그때를 기준으로 1년 이내에 철수는 점유방해제거 청구권을 행사하면 되는 걸까요?

방해가 이미 제거되었는데 방해제거청구권을 왜 쓰겠습니까? 트랙터를 치워 달라고 청구할 의미가 없습니다. 이미 트랙터는 치워졌기 때문입니다. 따라서 우리의 통설(학설)은 제2항에서 말하는 제척기간은 제1항의 청구권 중 손해배상청구권에만 적용되는 것으로 해석합니다(김준호, 2017).

그러나 판례는 이와는 좀 다르게, "제205조 제2항에 의하면 점유를 침탈 당하거나 방해를 받은 자의 침탈자 또는 방해자에 대한 청구권은 그 점유를 침탈 당한 날 또는 점유의 방해행위가 종료된 날로부터 1년 내에 행사하여야 하는 것으로 규정"이라고 하고 있습니다(대법원 2002. 4. 26. 선고 2001다8097 판결).

따라서 판례의 견해에 따른다면 나깡패가 철수의 땅에 트랙터를 버리는 행위가 종료된 시점이 기준이 되는 것입니다. 즉 다수설의 경우 '방해의 종료'를 '방해상태의 종료'로 해석하고 있는 반면, 판례는 '방해의 종료'를 '방해행위의 종료'로 해석하고 있는 것이지요. 다수설과 판례의 입장이 서로 충돌하는 측면이 있으므로, 이를 비교하여 보시고 어느 쪽이 타당한지 스스로 생각해 보시기 바랍니다.

제3항은 '공사'를 하는 경우를 특별히 규율하고 있는데요, 공사로 인하여 점유의 방해를 받는 경우에는 '공사의 착수'를 기준으로 1년

이 경과한 때 또는 공사가 아예 완성되어 버린 때에는 방해제거를 청구할 수 없도록 하고 있습니다.

이는 공사의 경우에 특별한 효과를 부여하게 되는데요, 예를 들어 보겠습니다. 철수는 땅을 하나 점유하고 있는데, 나건설이라는 사람이 그 근처에서 건물 공사를 시작하여 철수의 점유를 방해하게 되었다고 해봅시다. 이때가 2020년 1월 1일이라고 합시다.

판례의 견해를 따른다고 가정해 봅시다. 공사를 통한 나건설의 방해행위는 2020년 5월 1일에 공사의 완성으로 종료되었습니다. 원칙대로라면 철수는 방해의 종료(2020년 5월 1일)부터 1년 내에(2021년 4월 30일까지) 자신의 방해제거청구권을 행사하면 될 것이지만, 제3항의 특칙 때문에 철수는 (이미 공사가 완성되어 버렸으므로) 방해제거청구권을 행사할 수 없게 되는 것입니다.

오늘은 점유방해제거청구권과 학설 및 판례의 다툼에 대하여 알아보았습니다. 내일은 점유의 보전에 대하여 살펴보도록 하겠습니다.

*참고문헌

김준호, 「민법강의(제23판)」, 법문사, 2017, 582면.

제206조(점유의 보전)

①점유자가 점유의 방해를 받을 염려가 있는 때에는 그 방해의 예방 또는 손해배상의 담보를 청구할 수 있다.
②공사로 인하여 점유의 방해를 받을 염려가 있는 경우에는 전조제3항의 규정을 준용한다.

어제 우리는 점유의 방해를 받았을 때 그 제거를 청구할 수 있는 권리가 점유자에게 있음을 공부하였습니다. 오늘 배울 내용은 이러한 점유의 방해가 "예상되는" 경우에도 점유자가 이를 예방하여 줄 것을 요구할 수 있다는 것입니다.

제206조제1항은 점유자가 점유의 방해를 '받을 염려'가 있을 때에는 그 방해의 예방 또는 손해배상의 담보를 청구할 수 있다고 합니다. 이를 각각 점유물방해예방청구권과 손해담보청구권이라고 부릅니다.

그러면 도대체 어느 정도까지를 '염려'가 있다고 보느냐? 그건 그냥 "아, 방해를 받을 수도 안 받을 수도 있겠지만 혹시 모르니까 방해예방을 청구해야겠다" 이럴 수는 없는 거고, 대법원은 "방해예방청구권(점유보전청구권)에 있어서 점유를 방해할 염려나 위험성이 있는지의 여부는 구체적인 사정하에 일반경험법칙에 따라 객관적으로 판정되어야 할 것"이라고 합니다(대법원 1987. 6. 9. 선고 86다카2942 판결).

예를 들어, 철수가 땅을 하나 점유하고 있는데, 그 땅의 옆에 있는 영희의 건물이 너무 부실하게 지어져 있어 내일이라도 무너질 것처럼 생겼다고 합시다. 아직 영희의 건물이 무너져서 철수의 점유를 방해한 것은 아닙니다.

그러나 영희의 건물은 곧 무너질 것이라는 고도의 개연성이 있기 때문에, 철수는 영희의 건물이 무너지기 전에 그 건물을 보수하는 등의 조치를 취해 줄 것을 요구할 수 있는 것입니다. 소 잃고 외양간 고치기 전에 대응할 수 있는 방법이라고 하겠습니다.

제1항에서 말하는 '손해배상의 담보'라고 하는 것은 손해배상과는 약간 다릅니다. 흔히 우리가 일상에서 '담보 잡는다', '담보 내놔라' 이런 말을 하지 않습니까? 보통 담보라는 것은 미래에 어떤 사태가 벌어질지 모르니, 안전빵(?)으로 물건 같은 것을 제공받는다는 뜻으로 쓰이기는 합니다.

여기서의 의미도 본질적으로 다른 것은 아닙니다. 철수는 영희의 건물이 무너지게 되면 자신의 땅을 점유하는 데에 방해를 받게 되는 등 손해를 입게 될 가능성이 있으니, 그 손해가 발생할 경우에 대비하여 미리 영희에게 담보를 제공하라고 요구할 수 있는 것입니다.

이 경우 영희는 돈을 얼마 정도 공탁하거나(공탁이란 은행 같이 믿을 만한 곳에 돈 같은 것을 맡기는 것인데, 상세한 내용은 따로 검색해 보시기 바랍니다), 자기 소유의 부동산에 저당권을 걸거나 하는 방법으로 담보를 제공할 수 있을 것입니다.

제2항에서는 공사로 인하여 점유의 방해가 우려되는 경우에는 어제 공부한 제205조제3항의 규정을 준용한다고 하고 있습니다. 즉, 공사의 착수 후 1년이 경과하였거나 공사가 이미 완성되어 버린 때에는 점유물방해예방청구권을 행사할 수 없는 것이지요.

오늘은 점유물방해예방청구권에 대해 알아보았습니다. 내일은 간접점유의 보호에 대해 알아보겠습니다.

제207조(간접점유의 보호)

①전3조의 청구권은 제194조의 규정에 의한 간접점유자도 이를 행사할 수 있다.

②점유자가 점유의 침탈을 당한 경우에 간접점유자는 그 물건을 점유자에게 반환할 것을 청구할 수 있고 점유자가 그 물건의 반환을 받을 수 없거나 이를 원하지 아니하는 때에는 자기에게 반환할 것을 청구할 수 있다.

제207조는 간접점유의 보호에 대해 말하고 있습니다. 먼저 제1항은 앞서 우리가 공부한 제204조~제206조의 규정에 따른 청구권(점유물반환청구권, 점유물방해제거청구권, 점유물방해예방청구권)은 '간접점유자'도 행사할 수 있다고 합니다. 간접점유의 개념에 대해서는 제194조에서 공부한 적이 있었으므로, 기억이 잘 안 나시는 분들은 복습하고 오셔도 좋겠습니다.

제194조(간접점유) 지상권, 전세권, 질권, 사용대차, 임대차, 임치 기타의 관계로 타인으로 하여금 물건을 점유하게 한 자는 간접으로 점유권이 있다.

간접점유자는 점유매개관계를 바탕으로 점유매개자의 점유를 통하여 물건을 점유하므로, 직접점유를 하는 사람에게 인정되는 청구권들도 인정하여 주는 것입니다. 간접점유의 개념에 대해 제대로 이

해하고 있다면 이러한 논리가 쉽게 납득이 가실 것입니다.

다만, 제2항에서는 특별한 규정을 두고 있는데요, 문장이 좀 길고 복잡하므로 예를 들어 보겠습니다.

철수는 자신이 소유한 볼펜을 영희에게 돈 받고 빌려주고 있습니다. 동산의 임대차 계약이 있는 것입니다. 이에 영희는 볼펜에 대한 '직접점유자'이자 임대차라는 점유매개관계에 기한 '점유매개자'가 됩니다. 철수는 영희의 점유를 매개로 하여 볼펜에 대한 '간접점유자'가 됩니다.

그런데 영희가 볼펜을 지니고 길을 가다가 나깡패를 만나서 그만 볼펜을 빼앗기고 말았습니다. 바로 제207조제2항에서 말하는 상황이 된 겁니다.

이 경우 제2항을 다시 해석하면, 〈점유자(영희)가 점유의 침탈을 당한 경우에 간접점유자(철수)는 그 물건(볼펜)을 점유자(영희)에게 반환할 것을 청구할 수 있고, 점유자(영희)가 그 물건의 반환을 받을 수 없거나 이를 원하지 아니하는 때에는 자기(철수 본인)에게 반환할 것을 청구할 수 있다〉가 됩니다.

즉, 철수는 비록 자기 소유의 볼펜이기는 하지만 나깡패에게 "내 볼펜을 당장 내게 돌려줘!"라고 할 수는 없고, "내 볼펜을 원래대로 영희에게 돌려줘!"라고 할 수 있다는 겁니다. 좀 우회적인 방법입니다.

다만, 볼펜을 직접점유하던 영희가 그 볼펜을 받을 수가 없는 상황이거나, 원치 않는 때에만 철수는 볼펜을 자신에게 바로 돌려줄 것을 청구할 수 있습니다(제207조제2항 단서).

결국 제207조제2항은 우리가 앞서 공부한 3개의 청구권 중 점유물반환청구권(침탈의 경우)에 대해서 특별히 정하고 있다고 하겠습니다.

한 가지 주의할 것은, 위의 3가지 청구권이 성립하기 위한 침탈, 방해, 방해염려의 조건은 모두 직접점유자를 기준으로 하여 판단하여야 한다는 것입니다(직접점유자에게 침탈이나 방해 또는 방해의 염려가 발생해야 한다는 것). 간접점유자의 점유를 보호한다는 법규의 취지가 직접점유를 회복하게 함으로써 얻게 되는 이익을 보호한다는 것이기 때문입니다(김형석, 2019).

이해를 위해 위의 사례에서 나깡패라는 사람을 지워버리고 다시 철수-영희의 관계로 돌아가 봅시다.

영희는 철수의 볼펜을 철수의 허락도 없이 마음대로 자기 동생에게 줘버렸습니다(직접점유자가 횡령하여 처분해 버린 경우). 이 경우 철수는 점유물반환청구권을 행사할 수 있을까요? 없습니다(송덕수, 2019).

왜냐하면 직접점유자를 기준으로 하여 점유의 '침탈'을 판단하여야 하는데, 직접점유자(영희)의 의사에 반하지 않은 데다가 스스로

다른 사람에게 건네준 것이므로 이는 '침탈'이라고 볼 수 없기 때문입니다. 따라서 철수는 제207조를 주장하기보다 계약서의 조항을 들어 계약위반을 주장하는 등 다른 수단을 강구하는 게 나을 겁니다.

오늘은 간접점유와 그 보호에 대해서 알아보았습니다. 내일은 점유권에 기인한 소송에 대하여 알아보도록 하겠습니다.

*참고문헌

김용덕 편집대표, 「주석민법 물권1(제5판)」, 한국사법행정학회, 2019, 534면(김형석).

송덕수, 「물권법(제4판)」, 박영사, 2019, 237면.

제208조(점유의 소와 본권의 소와의 관계)

①점유권에 기인한 소와 본권에 기인한 소는 서로 영향을 미치지 아니한다.
②점유권에 기인한 소는 본권에 관한 이유로 재판하지 못한다.

우리가 지난 며칠간 공부한 3가지 청구권(점유물반환청구권, 점유물방해제거청구권, 점유물방해예방청구권)을 묶어서 점유보호청구권이라고도 부릅니다.

제1항에서는 '점유권에 기인한 소'라는 표현을 쓰고 있는데, 이는 점유보호청구권을 소송을 통하여 행사하려는 것을 뜻합니다. 본권에 대해서는 이미 공부한 적이 있습니다. 본권은 점유권이 아닌 물권으로서, 대표적으로 소유권, 저당권, 전세권, 유치권 등을 예로 들 수 있습니다.

예를 들자면 이렇습니다. '점유권'에 기인한 소는 말 그대로 점유권을 원인으로 하는 것입니다. 예를 들어 철수가 자신의 점유물을 타인으로부터 침탈당했다면, 그 점유물을 되돌려달라는 소송(점유물반환청구의 소)은 '점유권'에 기반한 것이 됩니다.

그런데 빼앗긴 물건이 단순히 철수가 점유만 하고 있었던 것이 아니라, 철수가 '소유'하고 있었던 물건이라고 합시다. 그러면 철수는 점유권이 아니라 소유권에 의해서도 소송이 가능합니다. 바로 소유

물반환청구의 소를 제기할 수 있는 것입니다. 이처럼 소송이라는 것은 여러 가지 원인에 의해서 할 수 있는 것이므로, 어떠한 원인에 의하여 제기된 소송인지도 중요합니다.

제1항은 '점유권에 기인한 소'와 '본권에 기인한 소'는 서로 영향을 미치지 않는다고 하고 있습니다. 이게 무슨 뜻인가 하면, 위의 사례에서 철수는 자신의 물건(소유물이자 점유하고 있었던 물건)을 다른 사람에게 빼앗긴 상황이므로, 소유물반환청구의 소를 제기할 수도 있고, 점유물반환청구의 소를 제기할 수도 있고, 심지어 2개의 소송을 함께 제기할 수도 있다는 것입니다.

즉 두 개의 소송은 서로 전혀 영향을 미치지 않는다는 것입니다. 점유권에 기인한 소와 본권에 기인한 소는 서로 청구원인을 달리하므로 서로 영향을 미치지 않는다고 말하기도 합니다(박동진, 2022). 설령 2개의 소송을 모두 제기했다가 그중 하나의 소송에서 패배하더라도 그 소송이 다른 소송의 결과에 영향을 미치지 않습니다.

*청구원인이란 청구취지(법원에 어떤 내용의 판결을 원하는지 밝힌 것)에 따른 판결을 할 수 있도록 뒷받침하는 권리 또는 법률관계를 발생시키는 구체적인 사실관계를 의미합니다. 예를 들어 위의 사례에서 철수가 영희에게 "내 물건을 YY년 Y월 Y일까지 돌려주도록 판결해 주십시오."라고 한다면 그것이 청구취지의 내용이 될 것이고, 청구원인은 "영희는 XX년 X월 X일 철수가 점유하던 물건을 강제로 빼앗았으며(침탈)…" 등등 사실관계를 빼곡히 적은 내용이 될 것입니다.

이와 같은 규정을 두고 있는 것은, 본권과 점유권 간에 필연적인 관계가 있거나 한 것은 아니므로 서로 독립적인 결과가 나오더라도 부당하지는 않기 때문입니다.

어떠한 물건이 누군가의 소유물인 건 맞지만 점유물은 아닐 수도 있으며, 둘 다 일수도 있고, 점유물인 건 맞지만 소유물은 아닐 수도 있는 등 다양한 케이스가 나올 수 있지요. 소유물이면 반드시 점유물이어야 한다는 식의 논리 전개가 되지는 않는다는 뜻입니다.

다음으로 제2항을 봅시다. 여기서는 점유권에 기인한 소는 본권에 관한 이유로 재판하지 못한다는데, 이건 또 무슨 말일까요? 표현이 난해하긴 합니다.

제2항은 제1항의 논리에 기반하고 있는데, 점유권에 기인한 소와 본권에 기인한 소는 서로 독립적인 것이기 때문에, 점유권에 기인한 소송에서는 점유에 관한 항변만을 하여야지 본권에 기인한 항변을 하여서는 안 된다는 겁니다.

어려우니까 간단히 표현하자면 이렇습니다. 위의 사례에서 철수가 자신의 빼앗긴 물건을 되찾기 위해 '점유권'에 기인한 소(점유물반환청구소송)를 제기하였다고 합시다.

판사가 이렇게 묻습니다. "철수 씨, 당신은 빼앗긴 점유물을 되돌려 달라는 청구를 하셨군요. 이 물건이 당신이 점유하던 것이 맞습니까?" 그러자 철수가 대답합니다. "네, 이 물건은 제 소유물입니다.

그걸 입증할 수 있는 증거가 여기 있습니다."

물론 실제 소송이 이렇게 진행되는 것은 아니고 단순화한 것입니다만, 철수가 이런 식으로 하면 안 된다는 겁니다. 철수는 지금 소유권을 입증하려고 하고 있는데, 그걸로는 의미가 없고 점유물반환청구의 소를 제기한 만큼 (본권에 관한 이유로 재판할 수 없으므로) 점유권에 관한 주장을 하여야 하는 것입니다.

오늘은 점유권에 기인한 소와 본권에 기인한 소 간의 관계에 대해 알아보았습니다.

원래는 제208조를 공부하면서 본권자의 점유 침탈의 경우에 본권자로 하여금 반소(反訴)를 제기할 수 있도록 허용할 것인가의 문제에 대해서도 논의할 필요성이 있는데, 이 부분은 민사소송법에 대한 이해도 필요하고 지금 단계에서는 넘어가도 괜찮을 내용이므로 지나갈게요. 더 깊은 내용의 학습을 원하시는 분들은 민법 교과서를 참조하시면 되겠습니다.

내일은 자력구제에 대해 알아보겠습니다.

*참고문헌

박동진, 「물권법강의(제2판)」, 법문사, 2022, 171-172면.

제209조(자력구제)

①점유자는 그 점유를 부정히 침탈 또는 방해하는 행위에 대하여 자력으로써 이를 방위할 수 있다.

②점유물이 침탈되었을 경우에 부동산일 때에는 점유자는 침탈후 직시 가해자를 배제하여 이를 탈환할 수 있고 동산일 때에는 점유자는 현장에서 또는 추적하여 가해자로부터 이를 탈환할 수 있다.

'자력구제', 어려운 표현이 나옵니다. 자력구제(自力救濟)란, 직역하자면 스스로의 힘으로(자력) 구한다(구제한다)는 뜻입니다. 이를 제209조에서는 2가지로 나누어서 설명하고 있는데요, 하나는 제1항에서 "자력으로써 이를 방위할 수 있다"라고 표현된 자력방위권이고, 나머지 하나는 제2항에서 "탈환할 수 있다"라고 표현된 자력탈환권입니다.

예를 들어 보겠습니다. 철수는 자신이 아끼는 시계를 차고 길거리를 돌아다니고 있었습니다. 그런데 나깡패가 등장하여 그의 점유물인 시계를 빼앗으려고 합니다.

이 경우 점유자(철수)는 그 점유를 부정히 침탈 또는 방해하려는 나깡패에 대하여 스스로의 힘으로써 이를 방어할 수 있습니다(제1항, 자력방위권).

만약 나깡패가 철수의 시계를 빼앗아 들고 재빨리 도망친다면, 철

수는 현장에서 그를 추적하여 나깡패로부터 시계를 탈환할 수 있습니다(제2항, 자력탈환권). 물론, 현실에서 깡패를 만났을 경우에는 시계를 그냥 포기하고 목숨을 부지하는 것을 추천드립니다.

왜 이런 제도가 있을까요? 본래 개인이 스스로의 힘으로 다툼을 해결하려고 하는 것은 원시 사회에서나 광범위하게 허용될 일이고, 현대 사회에서는 원칙적으로 허용되어서는 안 되는 것입니다. 자력구제를 함부로 하지 말라는 의미에서, 우리의 민법은 앞서 공부한 점유보호청구권 같은 제도를 두고 있는 것입니다.

그러나 현실적으로 보았을 때 누가 달려와서 내 손목에 산 시계를 빼앗아 도망치고 있는데, "이런, 내 시계를 돌려줘! 나는 점유물반환청구권을 행사하겠다!" 이렇게 등 뒤에 외치면 도둑이 "네, 알겠습니다." 하고 돌려줄까요?

그 사람에게 추후 소송을 걸어서 시계를 되찾으면 좋겠지만, 상대방이 누군지도 모르고 저 멀리 도망쳐서 찾을 수조차 없다면요? 그래서 제209조는 그러한 측면을 고려하여 특별한 경우에는 스스로의 힘으로 물건을 지키고 되찾을 수 있도록 한 것입니다.

다만, 여기서 자력방위권과 자력탈환권은, 어디까지나 물건의 점유를 지키거나 되찾기 위하여 필요한 한도에서만 허용된다는 점에 주의하시기 바랍니다.

만약 시계를 빼앗으려는 나깡패에게 철수가, "나는 자력방위권이 있다! 뜨거운 맛을 보아라!" 하고 외치며 손에 든 벽돌로 나깡패를 죽도록 패버렸다면, 이것은 시계를 지키기 위한 한도를 넘어선 방위행위라고 할 것이어서 불법행위가 될 수 있습니다. 물론, 현실에서는 어디까지가 '필요한 한도' 안쪽에 있는 것인지 사안에 따라 구체적으로 판단하여야겠지요.

어쨌건 자력구제를 실행한 사람은 자신의 행위가 필요한 한도에서 적절했다는 것에 대해 입증책임을 지기 때문에, 함부로 자력구제를 남발하여서는 안됩니다.

지금까지는 동산(시계)의 예시를 들어서 말씀드렸는데, 제2항의 경우 부동산의 경우에도 점유자가 점유를 침탈당한 후 가해자를 배제함으로써 이를 탈환할 수 있다고 정하고 있습니다.

그런데 자력구제 제도의 특성상 침탈당한 후 몇 년 뒤에 탈환할 수 있도록 무제한 허락해 줄 수는 없습니다. 그러면 세상이 무법천지가 될 테니까요. 자력구제를 허용해 줄 때에는 반드시 시간의 한계가 있어야 할 텐데요. 이에 대해서 제2항은 '직시'(直時)라는 표현을 쓰고 있습니다. '즉시'가 아니라는 점에 유의하세요.

'직시'란 거의 사건이 발생한 지 얼마 지나지 않은 시간대를 말하기는 하는데, 이 정도 설명으로는 약간 애매하다는 생각이 드실 겁니다.

판례의 경우 조금 더 상세하게 설명하고 있는데요, 대법원은 "민법 제209조 제1항에 규정된 점유자의 자력방위권은 점유의 침탈 또는방해의 위험이 있는 때에 인정되는 것인 한편, 제2항에 규정된 점유자의 자력탈환권은 점유가 침탈되었을 때 시간적으로 좁게 제한된 범위 내에서 자력으로 점유를 회복할 수 있다는 것으로서, 위 규정에서 말하는 "직시"란 "객관적으로 가능한 한 신속히" 또는 "사회관념상 가해자를 배제하여 점유를 회복하는 데 필요하다고 인정되는 범위 안에서 되도록 속히"라는 뜻으로 해석할 것이므로 점유자가 침탈사실을 알고 모르고와는 관계없이 침탈을 당한 후 상당한 시간이 흘렀다면 자력탈환권을 행사할 수 없다."라고 하니 참고하시기 바랍니다(대법원 1993. 3. 26. 선고 91다14116 판결).

지금까지 자력구제권(자력방위권, 자력탈환권)에 대해 알아보았습니다. 한 가지 신경 써야 할 게 있는데 바로 간접점유와 점유보조자의 문제입니다.

사실 직접점유자(위의 사례에서 시계를 소지한 철수)야 당연히 자력구제권이 인정되는 데 문제가 없습니다만, 점유보조자와 간접점유자에게까지 이를 허용할 것인가는 논란의 여지가 있을 수 있습니다.

일단 통설은 점유보조자의 경우에도 자력구제권이 인정된다고 보고 있습니다(경수근, 2009).

“점유보조자는 점유를 인정 안 해준다더니 이게 무슨 소리야? 점유는 인정해주지 않으면서 자력구제권은 인정한다는 건가?”라고 생각하실 수도 있습니다. 하지만 현실적으로 점유보조자의 점유권이 인정되지 않는다고 하여 자력구제권까지 인정해주지 않으면 문제가 생길 수 있습니다.

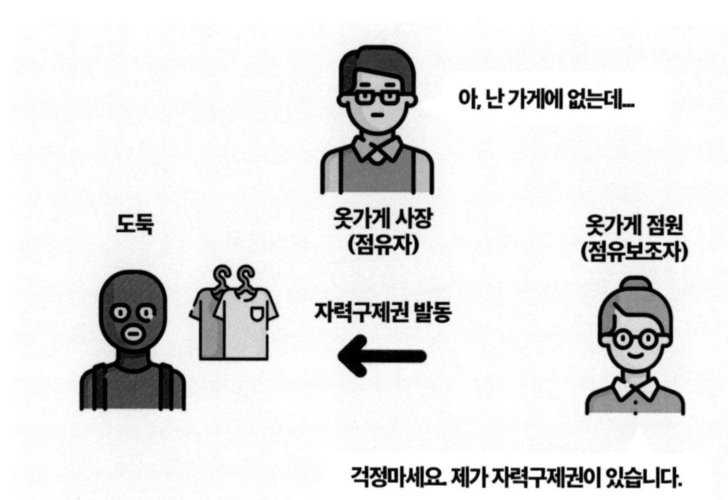

예를 들어 옷가게에 사장은 없고 점원만 있는데 누가 갑자기 옷을 가지고 달아나려고 할 경우, 점원은 “음, 나는 점유보조자에 불과하고, 자력구제권은 없으니 옷을 가져가는 것을 막을 방법이 없군.”하고 가만히 있어야 하는 걸까요? 점유보조자가 굉장히 많이 쓰이는

현실에서 이들에게 자력구제권을 인정해 주는 것은 어찌 보면 의미 있는 일이 될 겁니다.

반면 오히려 간접점유자에 대해서는 자력구제권을 인정해 줄 것인지, 말 것인지 학설의 대립이 있습니다(경수근, 2009). 간접점유라는 것은 사실 직접점유에 비해서 현실에서 와 닿지 않는 측면이 있는데, 자력구제권이라는 것은 아주 예외적으로 인정되는 것이어서 이를 넓게 인정해서는 안된다는 견해가 있는 것입니다. 반대로 자력구제권을 인정해 줘야 한다는 견해도 있지요. 어쨌거나 학설의 논란이 있다는 정도로만 알고 넘어가시면 될 듯합니다.

추가로 한 가지 논의만 더 말씀드릴게요. 길어져서 죄송합니다. 바로 소위 오상(誤想)의 자력방위와 자력탈환의 문제인데요, 법학에서나 쓰고 잘 안 쓰는 단어이긴 한데 '오상'이란 잘못 생각한다, 착각한다는 의미입니다.

간단히 생각하며 이런 겁니다. 자력방위나 자력탈환의 요건이 구비되지 않았는데도 스스로 "아, 자력구제가 가능한 상황이구나!"라고 착각하여, 상대방에게 물리력을 행사해 다치게 하거나 손해를 입혀 버렸다면 어떨까요? 상대방의 입장에서는 오히려 억울할 수도 있을 것입니다.

이런 경우에 우리의 통설은 설령 그런 착각을 하게 된 데에 과실이 없다고 하더라도, 손해배상책임을 지게 된다고 보고 있습니다(무과실의 손해배상책임)(송덕수, 2019). 손해배상책임에 대해서는 아직 구체적으로 공부하지 않았으므로, 참고로 이런 것이 있다는 정도만 알아 두시기 바랍니다.

오늘은 자력구제권에 대해 알아보았습니다. 내일은 준점유에 대해 알아보겠습니다.

*참고문헌

경수근·신영한·이기욱, 「민법주석대전(1)」, 법률미디어, 2009, 1007면.

송덕수, 「물권법(제4판)」, 박영사, 2019, 269면.

제210조(준점유)

본장의 규정은 재산권을 사실상 행사하는 경우에 준용한다.

또 생소한 단어가 나왔네요. '준점유' 입니다. 우리가 지금까지 공부한 '점유권'은 한 가지 특징을 갖고 있었습니다. 그건 물건(동산과 부동산)을 대상으로 한다는 것인데요, 점유권에 관한 장이 처음 시작되는 제192조에서도 '물건'을 대상으로 한다는 점을 명확히 밝히고 있습니다.

> 제192조(점유권의 취득과 소멸) ①물건을 사실상 지배하는 자는 점유권이 있다.
> ②점유자가 물건에 대한 사실상의 지배를 상실한 때에는 점유권이 소멸한다. 그러나 제204조의 규정에 의하여 점유를 회수한 때에는 그러하지 아니하다.

먼저 제210조에서 말하는 '재산권'의 개념을 천천히 봅시다. 재산권이란 경제적 가치가 있는 권리를 의미합니다. 우리가 지금까지 공부하고 있는 '물권' 역시 재산권의 일종입니다. 대표적인 예로 소유권은 당연히 경제적 가치가 있는 권리라고 할 수 있겠지요.

재산권은 크게 3가지로 나누어 볼 수 있습니다. 하나는 물권, 다른 하나는 채권, 다른 하나가 바로 제3의 재산권이라고 불리는 지식

재산권입니다. 예전에는 지식재산권, 지적재산권이라는 표현이 섞여서 많이 사용되었는데, 지금은 지식재산권이라는 용어로 통일해서 사용하고 있는 것으로 보입니다(특허청, 2005).

물권과 채권에 대해서는 우리가 총칙 파트에서 공부한 적이 있기 때문에 비교적 익숙하실 테지만, 지식재산권의 경우 많이 생소한 개념일 겁니다.

우리의 「지식재산 기본법」에 따르면, '지식재산'이란 "인간의 창조적 활동 또는 경험 등에 의하여 창출되거나 발견된 지식 · 정보 · 기술, 사상이나 감정의 표현, 영업이나 물건의 표시, 생물의 품종이나 유전자원(遺傳資源), 그 밖에 무형적인 것으로서 재산적 가치가 실현될 수 있는 것"(제3조제1호)이라고 하며, '지식재산권'이란 "법령 또는 조약 등에 따라 인정되거나 보호되는 지식재산에 관한 권리"(제3조제3호)라고 정의하고 있습니다. 요약하면 지식재산권은 인간의 지적인 창작물에 대하여 법률로서 권리를 부여하고 있는 것이라고 하겠습니다.

자, 지식재산권에 대해 공부했으니 제210조로 돌아가 봅시다. 제210조는, 본장(점유권에 관한 장)에서 말하는 점유권에 관한 규정을 "재산권을 사실상 행사하는 경우"에 준용하도록 하고 있는데요,

이건 무슨 말일까요?

위에서 언급하였듯 우리가 공부한 점유의 개념은 '물건'에 대하여 인정되는 것입니다. 그러나 재산권 중에는 눈에 보이는 '물건'이 아닌 '권리'는 어떨까요? 권리는 점유를 할 수가 없습니다. 예를 들어, 철수가 영희에게 돈을 빌려주는데, 영희가 빌린 돈을 갚을지 안 갚을지 자신이 없어 영희가 가진 땅을 저당 잡았다고 해봅시다.

이 경우 철수는 영희의 땅에 대한 저당권자가 되는데, 이 저당권이라는 권리는 단지 영희의 땅에 대해서 담보를 잡았다는 것일 뿐입니다. 철수는 그 땅에 농사를 지을 수도 없고, 그 땅을 차지하고 앉아 잠을 잘 수도 없습니다. 즉, 저당권은 점유를 수반하지 아니하는 권리인 것입니다.

반면 소유권은 점유를 수반하는 권리입니다. 땅의 소유자인 영희는 비록 저당을 잡힌 땅이라고 하더라도 여전히 그 땅에 대한 소유권을 갖고 있으므로 그 땅에서 잠을 자도 되고 점유를 해도 됩니다. 왜냐하면 소유권은 점유를 정당화할 수 있는 권리(점유할 권리)이기 때문입니다.

결국 제210조는 '점유'의 개념을 물건이 아닌 '권리'에 대해서는 논리상 적용하기 어렵기 때문에, '준점유'라는 단어를 만들어서(준準이란 뜻은 어떠한 사례에 대해 유사하게 따른다는 뜻입니다) 점유 비스무리한 어떤 개념을 창조한 겁니다. 그래서 준점유를 권리점유라고 부르기도 합니다. 물건에 대한 사실상의 지배를 점유라고 한다면, 재산권에 대한 사실상의 행사를 준점유라고 할 수 있습니다. '지배'가 아닌 '행사'라는 단어를 쓰고 있다는 점, 유의하시기 바랍니다.

따라서 지금까지의 논리에 의한다면, 점유를 수반하는 권리인 소유권이나 지상권, 전세권, 임차권 등의 경우 제210조를 적용할 필요가 없고(그냥 점유 제도를 활용하면 되니까), 점유를 수반하지 않는 나머지 재산권(임차권을 제외한 채권이나 지역권, 저당권, 광업권, 어업권, 지식재산권 등)이 제210조의 적용 대상이 된다는 것이 통설의 견해입니다. 여기서 지역권이니 뭐니 아직 공부하지 않은 부분들은 일단 무시하고 넘어가도 괜찮습니다.

이런 개념을 만든 이유는 무엇일까요? 권리는 물건처럼 눈에 보이는 것이 아니어서 가시적으로 '소지'하고 다닐 수는 없는 것이지만, 현실에서는 어떤 사람이 권리를 갖고서 그 권리를 사실상 행사하는 것처럼 보일 때가 있습니다. 마치 정당한 소유권자가 아닌 사람이 시계를 점유하고 있어도 점유권을 인정하여 주는 것처럼, 권리의 경우에도 정당한 권리자가 아니더라도 그 권리자인 것처럼 행동하는 경우가 존재할 수 있다는 겁니다. 이런 경우 점유는 원래 물건에 대해서 적용되는 것이나, 권리에 대해서도 유사한 시스템을 운영해 보자는 취지인 겁니다.

이처럼 준점유가 인정되면 점유 제도에서 인정되었던 권리 적법의 추정이나 선의의 점유자의 과실 취득, 물권적 청구권(제204조~

제206조) 같은 규정이 준용되게 되므로, 나름대로 의미가 있다고 할 수 있습니다.

다만, 이렇게 제210조의 규정에서 다루는 권리의 대부분은 사실상 점유의 규정이 적용되기 어렵거나(예를 들어 금전채권), 지식재산권과 같이 이미 다른 법률에서 물권적 청구권 등을 규정하고 있는 경우가 많으며, 가처분 제도라는 다른 좋은 대안이 존재한다는 점 등을 이유로 준점유 제도는 사실상 법정책적인 중요성을 상실했다고 보는 견해도 있습니다(김형석, 2019).

지금까지 점유권에 대하여 공부하느라 고생이 많으셨습니다. 내일부터는 우리의 현실에서 가장 익숙하게 접할 수 있는, 소유권에 대하여 본격적으로 알아보겠습니다. 제2장이 끝나고 제3장에 들어갑니다.

[심화학습]

준점유에서 주로 논의되는 주제 중에 하나가 '지식재산권의 준점유'입니다. 그 부분에 대해서 조금 더 알아보자면, 다음과 같습니다.

준점유는 점유를 수반하지 아니하는 재산권을 객체로 하는 것으로, 자기의 이름으로 권리를 행사(사실상 행사)하면 제210조의 요건은 충족되는 것입니다. 그리고 지적재산권의 경우에는 준점유가 적용되는 것에 이견이 없습니다(우원상, 2016).

준점유가 적용되면, 원래대로라면 민법 제192조부터 제209조까지가 다 준용되어야 할 거 같지만, 다 그런 것은 아닙니다. 예를 들어 제194조의 간접점유 규정은 지상권, 전세권 등 점유를 수반하는 권리여서 준점유에는 적용되지 않는 것으로 봄이 타당할 것입니다.

그런데 지식재산권에 있어서는, 전용실시권이나 전용사용권 같은 경우 특허법상의 물권적 청구권(특허법 제126조)나 손해배상청구권(특허법 제128조) 등이 이미 인정되고 있습니다.

그러나 전세권과 유사한 전용실시권이나 전용사용권과 달리, 채권적 전세에 비교할 만한 독점적 통상실시권, 독점적 통상사용권, 독점적 이용허락계약, 일반적인 통상실시권자 등에 대해서는 물권적 청구권이나 손해배상청구권의 소권이 인정되고 있지 않아 준점유의 법리 적용이 의미가 있다는 주장이 제기됩니다(우원상, 2016: 178-180면).

이러한 내용은 저작권법이나 채권자대위권 등의 내용과 함께 공부할 필요가 있는 부분입니다. 여기서는 심화학습이라고 해도 간단히만 제시했습니다만, 해당 분야에 관심이 있는 분들이라면 참고문헌을 흥미롭게 읽을 수 있을 것입니다.

*참고문헌

김용덕 편집대표, 「주석민법 물권1(제5판)」, 한국사법행정학회, 2019, 553-554면(김형석).

우원상, "지적재산권의 준점유", 「정보법학」 제20권 제3호, 2016, 176-177면.

특허청, "'지식재산권' 용어 통일 필요성", 2005. 5

Part 3.

제3장, 소유권
제1절, 소유권의 한계

제211조(소유권의 내용)

소유자는 법률의 범위내에서 그 소유물을 사용, 수익, 처분할 권리가 있다.

오늘부터 드디어 제3장, [소유권] 파트로 접어들겠습니다. 무엇인가를 '소유'한다는 개념은 이미 일반인에게도 익숙한 내용입니다. 아무리 법학에 대해 모르는 사람이라도, '소유권'이라는 말은 어디선가 들어 보셨을 겁니다.

소유권을 가진 사람은 말 그대로 그 목적이 되는 물건을 소유합니다. 그리고 제211조에 따라 '법률의 범위 내에서' 소유물을 사용하고, 그로부터 수익을 얻을 수도 있으며, 처분해 버릴 수도 있습니다(사용, 수익, 처분). 쉽게 생각하면 소유물이니까, 맘대로 쓰고 맘대로 팔아 버릴 수도 있다는 겁니다.

물론 소유물이라고 정말 한계 없이 자기 마음대로 할 수 있는 것은 아닙니다. 예를 들어, 우리나라의 경우 '농지'에 대해 특별한 제한을 두고 있는데, 농지의 경우 예외규정에 해당하지 않는 한 자기의 농업경영에 이용하거나 이용할 자가 아니면 소유하지 못하도록 하고 있습니다(아래 조문 참조). 이는 아주 강력한 제한입니다.

따라서 철수가 제아무리 부자라고 하더라도, 농사와 아무런 상관이 없는 용도로 농지를 사서 쓸 수는 없습니다. 내가 내 돈으로 사서

내 마음대로 쓰겠다는데 무슨 상관이냐, 라고 생각할 수 있지만 안 됩니다. 소유권 역시 법률의 범위 내에서 행사되어야 하기 때문입니다.

농지법
제6조(농지 소유 제한) ①농지는 자기의 농업경영에 이용하거나 이용할 자가 아니면 소유하지 못한다.

단어를 찬찬히 살펴보겠습니다. 소유물의 '사용'이란, 물건을 용도에 따라 사용하는 것을 말합니다. '수익'이란 물건으로부터 천연과실, 법정과실과 같은 과실을 얻는 것을 말하지요. 그리고 '처분'이란 물건을 다른 사람에게 팔거나 담보로 제공하는 등의 행위를 말하며, 혹은 물리적으로 형태를 변형, 개조시키는 것과 같은 사실적 처분도 포함하는 개념이라고 하겠습니다(김준호, 2017).

오늘은 소유권의 기본적인 내용에 대해 간단히 알아보았습니다. 내일은 토지소유권에 대하여 본격적으로 공부하겠습니다.

*참고문헌

김준호, 「민법강의(제23판)」, 법문사, 2017, 589면.

제212조(토지소유권의 범위)

토지의 소유권은 정당한 이익있는 범위내에서 토지의 상하에 미친다.

오늘은 소유권 중에서도 특히 토지의 소유권에 대해 알아보겠습니다. 그런데 제212조의 표현이 좀 이상합니다. "정당한 이익 있는 범위 내에서 토지의 상하에 미친다"니, 무슨 말일까요? 그 의미를 쉬운 것부터 하나씩 알아보도록 하겠습니다.

1. 토지소유권은 토지의 상하에 미친다.

자, 여기 철수가 있습니다. 철수는 자기 고향 마을에 있는 100평 땅의 주인입니다. 제212조에 따르면, 철수의 토지소유권은 그 땅의 표면 위(토지의 지상 공간)과 그 표면 밑(토지의 지하 공간)까지 미치게 됩니다.

사실 어찌 보면 당연하다고 할 수 있는 것이, 철수의 땅에서 말 그대로 그 표면에만 소유권이 미친다고 하면 철수는 자기 땅에 건물도 하나 못 올립니다. 자기 땅에서 10cm 밑도 못 파고요. 그럼 소유권이 의미가 없지요. 그래서 제212조는 토지의 '상하'(위아래)에 소유권이 미친다고 정하고 있는 것입니다.

"와, 그럼 토지소유권이 최고네요. 땅 위로 대기권 끝까지 내 거,

땅 아래로 맨틀까지 다 내 거네요."

그렇게 생각한다면 오산입니다. 왜냐하면 바로 다음 조건이 있거든요.

2. 토지소유권은 정당한 이익이 있는 범위 내에서 미친다.

토지소유권은 무한하게 마구 뻗어 나가는 것이 아니라, '정당한 이익'이 있는 범위까지만 영향력을 미칩니다. 예를 들어, 철수가 자신의 토지소유권을 근거로 하여 자신의 토지 위 지구 밖까지 그 누구도 '허공'을 사용할 수 없다고 천명할 수 있을까요?

없습니다. 왜냐하면 그런 행위는 다른 사람의 정당한 이익을 해치는 행위이기 때문입니다. 그렇기에 비행기는 아래 누군가 소유의 땅을 그냥 지나갈 수 있는 것입니다.

다만, 우리의 전통적인 학설의 견해는 지하의 경우, 토지소유권이 무한대까지 미친다고 보고 있었습니다(류창호, 2005). 아무래도 '지상'에 비해서 '지하'의 경우 비행기가 날거나 하는 문제가 없다 보니 논란의 여지가 별로 없었던 것이 사실이지요.

그러나 최근에는 기술의 발전 등으로 지하 공간에 대한 개발이 활발해지면서, 전통적인 견해를 넘어서 보다 다양한 견해가 개진되고 있다고 합니다. 이에 대하여 자세한 내용이 궁금하신 분들은 참고문헌을 읽어 보시기를 추천드립니다.

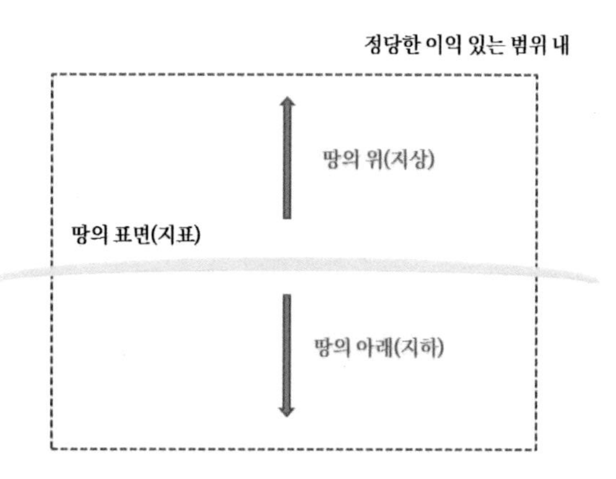

따라서 토지소유권의 범위는 위 그림과 같이 될 것입니다. 그림에서는 편의상 네모 모양으로 그리기는 했는데, '정당한 이익이 있는 범위'가 꼭 네모라는 보장은 없습니다.

그런데 문제는 도대체 "정당한 이익이 있는 범위"라는 것이 어디까지인지 모호하다는 점입니다. 지상 몇 미터까지, 지하 몇 미터까지는 토지소유자가 마음대로 지배할 수 있는 것인지 민법에서 정해두지 않았기에 우리는 혼란스럽습니다.

학설은 이를 판단하기 위한 획일적인 기준이 필요하다는 견해도 있고, 별도로 구체적인 기준을 설정할 필요가 있다는 견해도 있으나, 결국 '정당한 이익의 범위'는 개별적인 사례에 따라 달라질 수 있는 것으로서 다양한 판단기준을 고려하여야 할 것입니다. 그러한 판단기준은 문제가 되는 그 땅의 소재지, 용도, 지역적 또는 지리적 관계, 혹은 무형적 이익 등이 될 수 있겠지요(김해룡, 2012).

판례는 "토지소유권은 사람이 지배할 수 있는 한도내에서 지상 지하에 미치는 것으로 볼 것인바 2층헌선 정도의 고도에서의 본건 소유권 침해는 원고에게 이의 배제를 청구할 소송상 이익이 있다고 보아야 할 것"이라고 하여(대법원 1961. 10. 19. 4293민상204), "사람이 지배할 수 있는 한도"라는 개념을 제시하고 있지만, 이 역시 칼같이 딱 떨어지는 기준이 되는 것은 아니니까요.

오늘은 토지소유권의 범위에 대해서 간단히 알아보았습니다. 내일은 소유물반환청구권에 대해 알아보겠습니다.

*참고문헌,

김해룡, 「토지의 지하 및 공간 등에 대한 보상기준에 관한 연구」, 국토해양부 용역보고서, 2012, 16면.

류창호, 「토지소유권의 상하효력범위에 관한 법제연구」, 한국법제연구원, 2005, 39-40면.

제213조(소유물반환청구권)

소유자는 그 소유에 속한 물건을 점유한 자에 대하여 반환을 청구할 수 있다. 그러나 점유자가 그 물건을 점유할 권리가 있는 때에는 반환을 거부할 수 있다.

오늘 공부할 내용은 정말 중요한 부분입니다. 우리는 앞서 점유권에 대해 공부했지요. 그리고 소유권에 대해서도 알고 있습니다. 그렇다면 여러분은 이제 하나의 물건이, 소유자가 아닌 다른 사람에 의해서 점유될 수 있다는 사실을 알고 계실 것입니다. 즉, 소유자와 점유자가 다른 상황이 언제든 발생할 수 있습니다. 그리고 우리 민법은 설령 그 사람이 정당한 행동을 했는지를 떠나서 점유라는 상태에 일단 점유권을 부여하고 있습니다.

*이 시점에서 보통 물권적 청구권의 개념을 따로 공부하여야 하나, 지나치게 설명이 길어질 수 있으므로 지금은 생략하도록 하겠습니다. 궁금한 분들은 따로 논문이나 교과서를 찾아보시길 바랍니다.

그러나 진정한 소유자가 부당한 점유자에게 패배해서야 되겠습니까? 그래서 제213조에서는, 점유를 상실한 소유자가 그 물건을 현재 점유하고 있는 사람에 대해서 물건을 되돌려줄 것을 청구할 수 있도록 정하고 있는 것입니다.

*다만, 제213조가 점유를 상실한 소유자'에게만' 적용되는 것인지에 대

해서는 학설의 견해가 갈립니다. 민법 제213조에서 명시적으로 점유를 상실한 소유자라고 하지는 않고 있고요, 제190조에서 공부했던 목적물반환청구권의 예를 생각하여 볼 때, 목적물반환청구권을 받는 식으로 소유권을 넘겨 받은 사람이 소유물반환청구권을 행사할 수도 있기 때문에 그렇게 좁게 해석할 필요는 없다는 견해도 있습니다(김용담, 2011). 그냥 학설이 다투고 있다는 정도만 알아 두세요. 여기서 꼭 알아야 하는 내용은 아닙니다.

그런데 문제가 하나 있습니다. 바로 내 소유물을 돌려달라고 청구를 하여야 하긴 하는데, "상대방이 직접점유가 아니라 간접점유를 하고 있다면 어떻게 할 것인가?"가 문제입니다.

된다고 보는 견해도 있고 어렵다는 견해도 있습니다. 가능하다는 견해에서는, 물건을 간접점유하고 있는 경우라고 하더라도 그 점유자에 대해서 소유물반환청구권을 행사할 수 있다고 봅니다.

예를 들어, 철수가 나깡패에게 자기 소유 볼펜의 점유를 빼앗겼다고 합시다. 그런데 나깡패는 볼펜을 직접점유하지 않고 자기 친구에게 빌려주어(임대차), 자신은 그 볼펜의 간접점유를 취득하였다고 합시다. 그러면 철수가 나깡패에게 소유물반환청구권을 행사할 경우, 나깡패는 친구에게서 볼펜을 다시 돌려받아 철수에게 되돌려주거나, 아니면 친구에 대한 볼펜의 '반환청구권'을 철수에게 줄 수도 있습니다. 일부 학설은 이와 같은 방법으로 '간접점유자'(나깡패)에게도 제213조를 적용할 수 있다고 보는 것입니다.

다만, 대법원의 경우 "불법점유를 이유로 하여 그 명도 또는 인도를 청구하려면 현실적으로 그 목적물을 점유하고 있는 자를 상대로 하여야 하고 불법점유자라 하여도 그 물건을 다른 사람에게 인도하여 현실적으로 점유를 하고 있지 않은 이상, 그 자를 상대로 한 인도 또는 명도청구는 부당하다."(대법원 1999. 7. 9. 선고 98다9045 판결)라고 하여 위의 견해와는 상반되는 입장을 판시한 바 있으므로 참고하시기 바랍니다.

자, 마지막으로 제213조 단서를 봅시다. 여기서는 "그 물건을 점유할 권리가 있는 점유자"는 소유물반환청구를 거절할 수 있다고 합니다. 무슨 뜻일까요? 예를 들어 봅시다.

나부자는 자기 소유의 오피스텔이 한 채 있습니다. 그는 이를 나빈곤에게 싼 값에 빌려주고 월세를 받기로 했습니다. 임대차계약(채권관계)를 맺은 것입니다. 그렇다면 이제 나빈곤은 정당하게 나부자 소유의 오피스텔을 점유할 수 있는 권리가 있는 것입니다.

그런데 나부자가 어느 날 아침에 일어났는데 갑자기 기분이 안 좋아져, 나빈곤에게 전화하여 "더는 내 오피스텔에서 살지 마라. 나가라. 나는 민법 제213조에 따른 소유물반환청구를 하겠다."라고 합니다. 가능할까요?

안됩니다. 나빈곤은 정당하게 점유할 권리(임차권)를 계약에 따라 갖고 있기 때문에 나부자의 요구를 거절할 수 있습니다. 물론, 현실

에서는 보통 주택임대차보호법 등으로 인해서 당연히 나빈곤의 거주가 보호되기는 하지만요. 어쨌거나 나부자는 그렇게 마음대로 소유물을 되돌려달라고 할 수 없는 겁니다.

오늘은 소유물반환청구권에 대해서 알아보았습니다. 복습의 차원에서 제204조의 점유물반환청구권과 비교하여 읽어 보세요. 점유권에 기한 청구권과 소유권에 기한 청구권의 차이를 느낄 수 있으면 오늘의 목적은 충분히 달성한 셈입니다.

특히, 점유물반환청구권의 경우 침탈을 당한 날부터 1년 이내에 행사하여야 한다는 제척기간이 있는 반면, 소유물반환청구권은 그런 것이 없다는 점에 주목하시면 되겠습니다.

내일은 소유물방해제거와 방해예방청구권에 대하여 알아보겠습니다.

제214조(소유물방해제거, 방해예방청구권)

소유자는 소유권을 방해하는 자에 대하여 방해의 제거를 청구할 수 있고 소유권을 방해할 염려있는 행위를 하는 자에 대하여 그 예방이나 손해배상의 담보를 청구할 수 있다.

우리는 전에 점유권에 대해 공부하면서, 점유물반환청구권, 점유방해제거청구권과 점유방해예방청구권에 대해 공부하였던 적 있습니다. 소유권에도 이와 유사한 명칭의 청구권들이 있습니다. 물론 내용은 다르지만요. 하나는 어제 우리가 공부한 소유물반환청구권이고, 나머지 2개는 지금부터 알아볼 것입니다.

앞서 소유권은 물건을 '사용'할 수 있고, '수익'을 얻을 수 있으며, '처분'할 수 있는 내용을 담은 권리라고 했습니다. 그런데 이러한 사용·수익·처분이 누군가의 개입으로 인해서 이루어지지 않고 있다면, 이를 소유권의 방해라고 할 수 있습니다.

예를 들어 철수가 소유한 땅에 누군가가 멋대로 건물을 지어 버려서 철수가 그 땅을 제대로 사용할 수 없게 되었다면, 이는 철수의 소유권이 방해받고 있다고 볼 수 있는 것입니다.

제214조는 이렇게 소유권에 방해를 받고 있을 때, 그 방해를 제거할 것을 요구할 수 있고, 또한 그러한 방해가 '염려'될 때에는 그 예방이나 손해배상의 담보를 청구할 수 있다는 내용을 담고 있습니

다. 앞의 것을 소유물방해제거청구권이라고 하고, 뒤의 것을 소유물방해예방청구권이라고 부릅니다.

먼저 방해제거청구권의 경우, 우리의 통설은 "소유권을 가진 자"(소유자)가 "현재 방해 상태를 일으켜 놓고 있는 자로서 방해하는 사정을 지배하는 지위에 있는 자"(소유권을 방해하는 자)에게 행사할 수 있는 것이라고 보고, 여기에 방해자의 고의나 과실이 없더라도 청구권 행사가 가능하다고 합니다(김형석, 2004). 일단은 그냥 방해하는 사람이라고 이해합시다. 특히 저 문장에서 알 수 있는 것은, 방해는 '현재' 진행 중인 것이어야 한다는 겁니다. 방해가 '있었다가 없어진' 상태일 때에는 이러한 청구권을 쓸 수 없다는 것입니다. 그 경우에는 손해배상청구권을 행사하는 것이 더 낫겠지요.

판례 역시 "소유권에 기한 방해배제청구권에 있어서 '방해'라 함은 현재에도 지속되고 있는 침해를 의미하고, 법익 침해가 과거에 일어나서 이미 종결된 경우에 해당하는 '손해'의 개념과는 다르다 할 것이어서, 소유권에 기한 방해배제청구권은 방해결과의 제거를 내용으로 하는 것이 되어서는 아니 되며(이는 손해배상의 영역에 해당한다 할 것이다) 현재 계속되고 있는 방해의 원인을 제거하는 것을 내용으로 한다"라고 하여(대법원 2003. 3. 28. 선고 2003다5917 판결) 같은 입장입니다. 판례의 문장을 천천히 읽어 보시면 제214조에서 말하는 '방해'가 어떤 개념인지 이해하실 수 있을 것입니다.

참고로, 여기서의 '방해'는 단순히 사실적인 방해뿐만 아니라 법적인 의미의 방해도 포함된다고 봅니다. 예를 들어 실제 진짜 소유관계와 맞지 않게 등기가 되어있다고 한다면, 그런 등기를 말소할 것을 청구하는 것도 방해제거청구권의 행사라고 할 것입니다(박동진, 2022).

한편, 방해예방청구권의 경우, '아직은' 소유권이 방해받고 있는 것은 아니지만 장차 방해를 받을 것으로 염려되는 행위를 상대방이 하고 있는 때 행사할 수 있습니다.

이에 대하여 판례는 "소유물방해예방청구권은 방해의 발생을 기다리지 않고 현재 예방수단을 취할 것을 인정하는 것이므로, 그 방해의 염려가 있다고 하기 위하여는 방해예방의 소에 의하여 미리 보호받을 만한 가치가 있는 것으로서 객관적으로 근거 있는 상당한 개연성을 가져야 할 것이고 관념적인 가능성만으로는 이를 인정할 수 없다"라고 합니다(대법원 1995. 7. 14. 선고 94다50533 판결).

예를 들어 나부자가 땅을 가지고 있는데, 그 땅 옆에 돌덩이로 이루어진 작은 돌산이 있다고 합시다. 그 산의 주인은 나부자가 아닙니다. 그 돌산은 겉보기와는 달리 상당히 튼튼한 산으로서, 그동안 숱한 비바람과 태풍에도 불구하고 별다른 낙석이나 붕괴 없이 잘 지내(?) 왔습니다.

그런데 어느 날 나부자가 보니까 갑자기 불안한 겁니다. '저놈의

산이 갑자기 천재지변으로 무너져서 내 땅을 덮치면 어떡하지?' 그래서 나부자는 소유권방해예방청구권을 행사하려고 해 보지만, 안 됩니다. 그 산이 장차 무너져서 나부자의 소유권에 방해가 되리라는 '상당한 개연성'이 있다고까지 보기는 어렵기 때문입니다. 산이 무너질 정도의 천재지변은 흔하게 일어나는 것은 아니니까요.

제214조를 다시 읽어 보시면 알겠지만, 방해예방청구권의 경우에는 '방해의 예방조치'와 '손해배상의 담보' 중에 어느 하나를 선택해서 행사할 수 있습니다.

예를 들어 바로 위의 사례에서 나부자의 땅 옆에 있는 돌산의 상태가 매우 부실하고 언제라도 무너질 것이 자명하다면, 나부자는 그 돌산이 무너지지 않게끔 예방조치를 취해 줄 것을 청구하거나, 혹시라도 돌산이 무너져 발생할 자신의 손해를 담보하도록 요구할 수 있는 것입니다.

마지막으로, 판례는 "민법 제214조의 규정에 의하면, 소유자는 소유권을 방해하는 자에 대하여 그 방해제거 행위를 청구할 수 있고, 소유권을 방해할 염려가 있는 행위를 하는 자에 대하여 그 방해예방 행위를 청구하거나 소유권을 방해할 염려가 있는 행위로 인하여 발생하리라고 예상되는 손해의 배상에 대한 담보를 지급할 것을 청구할 수 있으나, 소유자가 침해자에 대하여 방해제거 행위 또는 방해예방 행위를 하는 데 드는 비용을 청구할 수 있는 권리는 위 규정에 포함되어 있지 않으므로, 소유자가 민법 제214조에 기하여 방해배제 비용 또는 방해예방 비용을 청구할 수는 없다"라고 합니다 (대법원 2014. 11. 27. 선고 2014다52612 판결).

"내 소유권을 방해할 염려가 있으니 예방조치를 취해줘!"라고 할 수는 있지만, "내 소유권을 방해할 염려가 있으니 예방조치를 취할 돈을 내놔!"라고는 할 수 없다는 것입니다. 이 정도로만 알고 넘어가도록 하겠습니다.

오늘은 소유물의 방해와 방해예방을 위한 청구권을 공부하였습니다. 내일은 건물의 구분소유에 대해 알아보도록 하겠습니다.

*참고문헌

김형석, "소유물방해배제청구권에서 방해의 개념-대법원 2003.3.28. 선고, 2003다5917 판결의 평석을 겸하여", 「서울대학교 법학」 제45권 제4호, 2004, 403면.

박동진, 「물권법강의(제2판)」, 법문사, 2022, 237면.

제215조(건물의 구분소유)

①수인이 한 채의 건물을 구분하여 각각 그 일부분을 소유한 때에는 건물과 그 부속물중 공용하는 부분은 그의 공유로 추정한다.
②공용부분의 보존에 관한 비용 기타의 부담은 각자의 소유부분의 가액에 비례하여 분담한다.

오늘은 좀 중요한 개념을 공부할 겁니다. 바로 건물의 '구분소유'라는 개념입니다. 제215조의 조문만으로는 설명이 너무 간단하므로, 추가적으로 좀 배경을 말씀드려야 할 듯합니다.

우리 물권법의 가장 기초 중 하나는 일물일권주의(一物一權主義)입니다. 단어는 생소해 보이지만 의미는 간단합니다. 1개의 '물건'에는 양립될 수 없는 1개의 물권만이 존재할 수 있다는 것입니다.

예를 들어, 1개의 볼펜이 있는데 소유권이 2개가 성립할 수는 없습니다. 볼펜은 그 자체로 1개의 물건인데, 볼펜의 뚜껑은 철수가 가지고, 볼펜의 펜대는 영희가 가지고 해서 소유권이 수십 개로 늘어날 수는 없는 겁니다.

"어, 소유권 2개 성립할 수 있는데요. 저랑 제 친구랑 부동산을 공유하기로 하고 등기도 했는데요?"

공유(共有)의 개념은 소유권을 서로 지분에 따라 나눈다는 것입니다. 친구랑 둘이서 부동산을 공유한다고 해서 소유권 자체가 2개라는 것은 아닙니다. 1개의 소유권을 나누어 갖는다는 것입니다.

결국 하나의 '건물'이라고 할 때에는 1개의 소유권이 성립하여야 원칙상 맞습니다. 건물 중에서 1층은 철수가, 2층은 영희가 갖는다는 것은 일물일권주의에 따르면 허용되지 않아야 할 겁니다.

그런데 현실에서는 1개의 건물에서 101호는 철수가, 102호는 영희가, 103호는 민수가 소유하고 있는 경우가 굉장히 많습니다. 이건 도대체 어떻게 된 일일까요?

그것은 바로 우리 법제가 '구분소유'라는 개념을 통하여 일물일권주의의 예외를 인정하고 있기 때문입니다. 원래 1개 동의 건물은 1개의 물건으로서 1개의 소유권을 인정하는 것이 원칙이지만, 그 건물이 구조상 구분된 여러 개의 부분이 독립한 건물로서 사용될 수 있을 때에는 그 구분된 부분에 각각 소유권이 성립할 수 있다고 보는데요, 이때 그 부분을 소유하는 것을 구분소유라고 합니다.

예를 들어 보겠습니다. 여기 1동의 건물이 있습니다. 이 건물은 15층짜리 건물로, 1층에는 101호부터 105호까지, 2층에는 201호부터 205호까지 있는 식으로 총 75개의 호실이 있습니다. 그리고 각각의 호실에는 방도 있고, 화장실도 있고, 부엌도 있고 해서 사람이 살 수 있도록 되어 있지요.

이런 경우 각 호실은 그 구조와 이용의 측면에서 독립적인 건물로 취급할 수 있을 것이며, 101호의 소유권 따로, 102호의 소유권 따로... 이런 식으로 나눌 수 있을 것입니다. 즉 101호를 구분소유할 수 있습니다.

이처럼 구분소유할 수 있는 건물이 모인 집합체를 집합건물이라고 부르며, 「집합건물의 소유 및 관리에 관한 법률」이라는 별도의 법률로 규율하고 있습니다. 집합건물의 대표적인 예가 바로 우리에게 너무나 친숙한 형태의 주거공간인 '아파트'라고 할 수 있지요.

집합건물의 소유 및 관리에 관한 법률
제1조(건물의 구분소유) 1동의 건물 중 구조상 구분된 여러 개의 부분이 독립한 건물로서 사용될 수 있을 때에는 그 각 부분은 이 법에서 정하는 바에 따라 각각 소유권의 목적으로 할 수 있다.

자, 이제 제215조를 자세히 봅시다. 제1항은 수인(여러 사람)이 한 채의 건물을 구분하여 각각 그 일부분을 소유한 경우 그 건물과 부속물 중에서 공용(함께 사용하는 부분)은 그의 공유로 추정한다고 합니다.

이해하기 편하게 아파트를 예로 들어 보겠습니다. 아파트에서는 사람이 사는 공간이 있지요? 대문이 있고, 대문 안쪽에 현관이 있고, 방이 있고 화장실이 있습니다. 그래서 그 면적을 따져서 25평이다, 몇 평이다 이렇게 얘기를 하지요. 이와 같이 구분소유의 목적이 되는 부분을 전유(專有)부분이라고 합니다.

'전유'라는게 '오로지 전'에 '소유할 유'의 한자를 쓰는데요, "이건 나의 전유물이다" 이렇게 얘기는 경우가 있지요? 오로지 내 마음대로 좌지우지하는 것을 말하는데, 그런 의미에서 생각해 본다면 '전유부분'의 뜻이 좀 더 이해가 가실 것입니다.

반면, 아파트에는 사람이 직접 사는 공간만 있는 것이 아닙니다. 아파트에는 비상계단도 있고, 옆집이랑 우리 집이랑 사이에 복도도 있고요, 소화전 같은 것도 있고 엘리베이터도 있습니다. 이와 같이 전유부분이 아닌 부분으로서 여러 사람이 함께 쓰는 공간을 가리켜 공용(公用)부분이라고 합니다.

민법 제215조제1항의 의미는, 이러한 공용부분의 경우에는 여러 구분소유자가 같이 공유하는 것으로 추정한다는 뜻입니다. 예를 들어 101호의 집주인은 공용부분에 해당하는 복도에 대해서 자기가 '전유'한다고 주장할 수 없습니다. 102호의 집주인하고 같이 써야 하는 부분인 겁니다.

그런데 공용부분(복도, 엘리베이터 등)이라고 해도 그냥 다 내버려 둘 수는 없는 노릇이지요. 현실적으로 청소도 가끔 해줘야 하고, 고장 난 부분이나 부서진 데가 있으면 수리도 해줘야 합니다.

즉, 공용부분의 유지에는 돈이 들어갑니다. 이 돈을 어떻게 부담해야 할까요? 민법 제215조제2항은 이와 같이 공용부분의 보존에 관한 비용 등은 각자의 소유부분의 가액에 비례해서 분담한다고 정하고 있습니다. 대개 현실에서는 관리비를 통해서 해결하기는 하지만요.

제215조는 구분소유와 공용부분에 대해서 정하고 있지만, 사실 이것만으로 현실에서 아파트 커뮤니티와 같은 복잡한 집단을 규율하는 것은 거의 어렵습니다. 그래서 우리나라에서는 1984년 (앞서 말씀드린) 「집합건물의 소유 및 관리에 관한 법률」을 제정하여 따로 집합건물을 규율하고 있고, 이 법률은 민법 제215조의 특별법으로서 집합건물에 대해 우선 적용되기 때문에 사실상 제215조는 큰 의미는 없는 조항이라고 하겠습니다.

다 공부해 놓고 이제 와서 큰 의미가 없다니 허탈하실 수도 있겠지만, 구분소유와 전유부분, 공용부분 등은 꼭 알고 지나가야 하는 개념이기 때문에 오늘 우리가 한 것이 의미가 없지는 않다고 생각해 주시면 감사하겠습니다.

오늘은 구분소유에 대하여 알아보았습니다. 현실적으로 굉장히 자주 사용되는 집합건물의 개념을 이해하는 데에 중요한 내용이니 꼭 기억하고 지나가시길 당부드립니다.

물권편의 제1권은 여기서 끝입니다. 본래 제3장(소유권) 제1절(소유권의 한계)는 제211조부터 제244조까지 있습니다만, 책의 분량

과 내용을 고려하여 제2권부터 제216조를 시작하는 것으로 하였습니다.

제216조부터 제244조까지는 서로 이웃하는 부동산 소유권에 대하여 규율하고 있다는 공통점이 있어, 묶어서 살펴볼 만합니다. 이른바 '상린관계'에 대한 내용인데, 내일부터 시작해 보도록 하겠습니다.